KB103158

오늘도 설레입니다

오늘도 설레입니다

발 행 ｜ 2023-1-10
저 자 ｜ 강희, 김주연, 김효진, 변은혜, 손지오, 윤지수, 임나래, 임정호, 현인성
펴낸이 ｜ 변은혜
펴낸곳 ｜ 책마음
출판사등록 ｜ 2023.01.04 (제 2023-000001호)
주 소 ｜ 강원도 원주시 남원로 494 702-1102
전 화 ｜ 010-2639-5823
이메일 ｜ book_maum@naver.com

ISBN ｜ 979-11-981676-0-6

본 책은 저작자의 지적 재산으로서 무단 전재와 복제를 금합니다.

오늘도 설레입니다

강희
김주연
김효진
변은혜
손지오
윤지수
임나래
임정호
현인성

목차

2부

설레임

오늘을 설레이며 시작하는 당신에게

어느 날 어른이 되어 버렸습니다. 어른은 그냥 되는 줄 알았지만, 어른인 척했던 적이 더 많았던 것 같습니다. 자신을 돌아볼 틈새도 없이 일을 하고 결혼하고 아이를 양육했습니다. 숨 가쁘게 시간이 흘렀습니다.

자신을 가만히 들여다봅니다. 꿈꾸고 기대하고 실망했던 순간들을 말이지요. 때론 후회와 상처로 얼룩진 과거를 지우고 싶기도 했고, 좀 더 나은 미래를 바라보며 그저 불안한 나날을 보내기도 했습니다.

그러나 글을 쓰고 지나온 시간과 현재를 보듬으며 깨달았어요. 모든 순간이 의미가 있으며, 찬란했음을 말이에요. 어떤 일상이든 사랑 할 만한 가치가 있음을요.

상처받고 지치고 고독한 일상의 한 조각도 가만히 들여다보면 모두 사랑스럽습니다. 그 순간들이 쌓여 내가 되었고, 시간이 되었습니다.

살아갈 날이 많습니다. 과거와 미래에 매여 지금 이 순간을 놓치지 않으셨으면 해요. 지금 이 순간 설레는 일을 하세요.

변은혜

이렇게 읽고 쓰기는 내 삶과 잘 버무려져 삶을 풍성하고 풍요롭게 만들어 준다. 오늘도 공동 저자로 책을 출간하기 위해 퇴근 후 노트북 앞에 앉아 있다. 여러 번의 경험을 통해 책을 출간하다 보면 울림이 있는 글로 사람들에게 영향력도 줄 수 있는 날이 올 것이라 믿는다.

1부
……
오늘

세종 가는 길

"집에 오는 길이 너무 밀리고, 날씨도 안 좋으면 데리러 가기 어려울 수 있어. 그럴 때는 그냥 셔틀 타고 오면 데리러 나갈게~" 기숙사에 있는 아이가 집에 오는 길은 왕복 다섯 시간이 훌쩍 넘는다. 게다가 길이 밀리는 금요일이면 여섯 시간은 족히 소요된다. 운전도 힘들지만, 시간이 너무 아깝다. '그 정도 시간이면 내가 할 수 있는 일이 얼마나 많은데….' 귀가 전 셔틀을 신청하는 때가 오면 항상 고민하며 신청한다. 아이는 '집에 오는 길에는 편하게 엄마가 데리러 왔으면' 하는 눈치다. "버스는 전용차로도 있고, 그렇게 오는 것이 더 빠를 거야. 엄마도 조금만 데리러 나가면 되니까." 아이는 마지못해 동의하고 일정을 그렇게 약속한다.

하지만, 근래 들어 아이가 셔틀을 이용해 집에 온 경우는 별로 없다. 엄마인 내가 대부분 데리러 갔기 때문이다. "버스 타고 오라고 하지? 왜?" 남편이 한 소리 한다. "그렇게 맨날 바쁘다면서 데리러 가려고?" "집에 오는 차에서는 그나마 이야기를 많이 하니까, 그 시간이 제일 기분 좋을 때 아니겠어? 이 정도는 해 줘야지. 어차피 학교 갈 때는 셔틀 탈거니까요." 이해할 수 없다는 남편의 대답이 계속되지만, 매번 못 갈 수도 있다는 가정을 두면서도 언제나 데리러 가고 있다. 왜냐하면, 그 시간이 설레기 때문이다. 오랜만에 아이를 만난다는 것도 좋고, 엄마가 데리러 왔다는 안도에 긴장을 푸는 아이를 보는 것도 기쁘다. 하지만, 그에 앞서 혼자만의 시간을 갖게 된다는 것이 또하나의 즐거움을 준다.

　"사실은 그 시간을 즐기는 거지." '매번 데리러 가는 것이 피곤하고 힘들지 않느냐'는 지인의 질문에 대답한다. 큰아이도 인접 지역의 학교에 다녔던지라 아이를 데리러 가는 길이 많이 낯설지 않다. 고속도로 운전이긴 해도 익숙한 길을 오전 시간에 가면 여유롭다.

　텀블러에 커피를 가득 담고 출발 준비를 한다. 평소에는 들을 엄두조차 내지 못했던 FM 라디오 듣기도 빠질 수 없다. '뚜두루뚜 뚜뚜뚜~ 뚜두루뚜 뚜뚜뚜~' '지디님은 여전하시네. 어쩜 목소리가 저리 한결같을까?' 듣고자 하는 방송이 잡히지 않는 구간에서는 좋아하는 팟 캐스트를 듣는다. 차량 스피커로 들으면 집에서 이어폰으로 듣는 것보다 한결 편안함을 느낀다.

크게 웃기도 하고, 소리 내어 공감하기도 한다. '지금 차 안에는 나밖에 없으니까.' 도시를 떠나 풍경을 볼 수 있다는 것은 덤이다. 차창 앞으로 펼쳐지는 낮은 산, 그 위로 보이는 하늘과 구름은 고속도로를 운전하며 느낄 수 있는 중요한 설렘이다.

휴게소에 들르는 것도 필수다. 오래 다니다 보면 고정적으로 들르는 휴게소가 있다. 주차 자리도 원하는 곳이 정해져 있다. 분홍색 내 자리, 여성 운전자 전용 구역이지만, 지켜질 리만무하다. 그래도 꼭, 그곳에 자리가 있는지 먼저 확인한다. 휴게소 건물을 나와 넓은 주차장 쪽을 보면 하늘이 한껏 가까이 보인다. 서울을 떠나왔음을 가장 먼저 세밀하게 느끼는 타이밍이다. 그래서 꼭 그렇게 사진을 찍나 보다.

여행길이 아님에도 집을 떠나서 있다는 것은 여러 가지를 여유 있게 만든다. 휴게소 편의점은 유독 비싸다. 그 사실을 알면서도 서슴없이 고르게 된다. '혹시 잠이 오면 깨야 하니 미리 준비해 두는 거야.'라고 하지만, 어디 그 이유가 다일까? 설렘에 뭐든 좋아 보이는 것이 더 크다. 그래도 편의점에서 커피를 사진 않는다. 집에서 챙겨온 인스턴트 커피 스틱과 휴게소 식당 정수기의 물을 받아 커피를 보충한다. 휴게소 커피는 왠지 싱거울 것 같다. 맛있었던 기억이 별로 없다. 휴게소 음식의 꽃은 누가 뭐래도 '소떡소떡' 일 것이지만, 혼자 움직이며 사 먹진 않는다. 역시 너무 낭비인 것 같은 생각이다. 잠을 깨기 위한 스낵이나 젤리 정도면 휴게소 쇼핑은 충분하다. 그 정도로도 주

만족스럽다.

휴게소를 떠나면서 고민이 시작된다. '오늘은 서청주로 나갈까, 남청주로 나갈까.' 어떤 IC로 나갈지 선택해야 한다. 운전이 지겹기 시작하면 서청주 IC를 선택하여 고속도로를 일찍 벗어난다. 일반도로에 나가면 신호도 있고, 좌회전도 있다. 우회전도 해야 하고, 유턴도 해야 하니 조금 더 길에 집중해야 한다. 남청주 IC까지 가는 것은 단조로운 길을 계속 가는 것을 의미한다. 그만큼 경로에 신경 쓰지 않아도 되는 것이다. 늘 같은 곳으로 가지 않는 것이 신기하다.

기숙사에 데리러 가는 날은 하교 시간보다 훨씬 일찍 도착하도록 움직인다. 덜 밀리는 시간에 운전하고 싶은 마음도 있지만, 학교 앞 카페에 앉아 혼자만의 시간을 갖는 것이 너무 좋다. 책 한 권 가져가서 읽기도 하고, 밀린 강의를 듣기도 한다. 노트북이나 전자기기를 충전하면서 머물러야 한다면 프랜차이즈 카페에 가고, 책과 노트로 시간을 보낼 생각이면 지역 카페에 간다. 늦지 않은 시간이어도 자리는 제법 차 있다. 삼삼오오 모여 있는 엄마들이 흔하고, 열심히 성경을 읽으시는 노인분도 간혹 계신다. 되도록 구석지고 조용한 자리를 잡고 나만의 시간을 갖는 것은 잠시 엄마를 내려놓고 즐길 수 있는 설레는 시간이다. 욕심껏 에코백 가득 가져가지만, 결국 한 권의 책도 다 못 읽는 시간이다. 그런데도 선택하지 않고 담아 간 책들은 여전히 나를 즐겁게 한다. 집에 있으면서 혼자 동네 카페에 가는 경우는 많지 않다. 뭉텅이의 시간을 내기도 어렵거니와 굳이 거기까지 가야 하는가의 마음도 있다. '오가는 왕복의 시간이면 집안일 하나를 더 할 수 있을 텐데….'하는 초라한 생각이 계속되기 때문이다. 하지만, 이렇게 아이를 데리러 오면서 시간을 내는 것은 일종의 강제적 기다림이다. 나는 강제적 기다림을 지혜롭게 쓰는 엄마가 되는 것이다. 어찌 설레지 않을 수 있을까?

엄마로 주부로 긴 시간을 살다 보면 내 것으로 만들 수 있는 시간이 한정적이다. 더군다나 그런 시간은 대부분 자투리 시간이다. 워킹맘으로 사는 것은 시간을 씀에 있어서 밀도가 더 높다. 부여받은 역할만큼이나 나의 시간도 내놓아야 하기 때문이다. 엄마로서 주부로서 직장인으로서 역할에 충실하기 위한 시간을 쓰면 잠자는 시간만 나로 사는지도 모른다. 그렇게 오랜 시간을 살았다. 물론 그리 나쁘지는 않았다. 역할에 충실할 때 오는 성취감이 크기 때문이다. 하지만, 지금은 단순히 쉬고 싶다는 욕구는 아니다. 설레며 쉬고 싶다. 온전히 나를 위해 쓰는 시간과 공간이 필요하다. 그리고 가장 쉽고도 편리한 시간과 공간을 찾았다고 생각한다.

1년 후면 아이가 그 학교를 졸업한다. 그때가 되면 나의 설레는 '세종 가는 길'은 더 이상 유효하지 않다. 하지만 나는 안다. 1년 후, 더 많은 설레는 시간을 확보하리라는 것을.
왜냐하면 그 맛을 알아버렸기 때문이다.

오! 밀리!

어릴 때는 무척 책을 좋아하는 아이였다. 책이 귀했기 때문일 것이다. 초등 시절에 읽은 책은 크게 생각나지 않는다. 어린이 세계 명작 정도이지 않을까? 중, 고등학교 시절에는 다양한 책을 읽었던 기억이 난다. 특히 그때는 문고판 책이 유독 많았다. 질이 좋지 않은 누런 갱지로 되어있던 문고판, 가격도 저렴하여 용돈이 모이면 그 책을 사기 위해 서점에 가곤 했다.

십 대 시절의 독서를 생각하면 항상 제일 먼저 떠오르는 것은 동네 서점이다. '이태원 서점' 상호도 기억나고 위치도 정확하게 기억한다. 그리 넓지 않은 동네 서점, 밝지도 않고 책이 쌓여 퀴퀴한 젖은 냄새가 항상 났던 것 같다. 등하굣길에 지나게 되는 서점에 단골로 드나들었다. 기다리던 속편이 나왔는지 물어보기 위해 문을 여는 그 순간이 어찌나 설레던지…. 그때는 지금처럼 정보를 실시간으로 받을 수 있는 시절이 아니었다. 직접 가서 확인하는 것이 전부일 때였다. "아저씨 캔디 00권 나왔어요?" 물론, 만화책도 빼놓을 수 없다. 어쩌면 간절한 기다림의 크기는 만화책이 더 클지도 모르겠다. 그리고 그 시절에 「데미안」과 「좁은 문」이 있다. 온갖 책을 다 읽을 수 있는 곳, 서점을 하는 것이 장래 희망의 한 귀퉁이에 있기도 했다.

지금도 서점에 가는 것을 좋아한다. 나의 리추얼이고, 나의 아티스트 데이트이다. 접근성이 좋은 두 곳의 대형서점을 자주 간다. 교보문고와 영풍문고, 대형 서점은 비교적 책을 자유롭게 볼 수 있다. 하지만, '붐비는 주말에는 가지 않는다'는 나름의 기준을 갖고 있다. 이유는 책을 집어 들고 볼 수 있는 테이블을 차지하기가 쉽지 않기 때문이다. 그리고, 그곳에 가는 더 큰 이유가 있다. 대형 서점이 주는 적당한 소외감과 다양한 즐길 거리 때문이다.

동네에 있는 독립 서점에 가고자 하면 주인장과 친분을 맺어야 할 것 같다. 왠지 책을 한 권 더 사게 된다. 호기심에 들어 본 책도 그냥 두기 망설여지는 부담감이 살짝 있다. 동네 서점의 다른 곳은 그야말로 아이들 문제집과 참고서만 왕창 많이 있다. 엄마로 방문하여 문제집을 골라 사 올 수는 있어도 고즈넉이 나를 위해 책을 고르기 위해서는 도저히 발길이 가질 않는다. 가끔 도서관 희망 도서를 신청하고 수령을 위해 가긴 한다.

하지만, 대형 서점은 나를 굳이 드러내지 않아도 된다. 적당한 진열장 앞에서 한참을 서성여도 누구 하나 궁금해하지 않는다. 즐비하게 정리된 책을 보면서 마음에 드는 책 한 권 고르려는 그 순간에 집중할 수 있다. 내가 어떤 책을 고르는지 설명하고 인정받을 필요가 없다. 더군다나 요즘은 계산도 기계가 할수 있다.

대형 서점에 가면 온갖 필기구를 만날 수 있다. 소위 문구덕후, 덕후라 불릴 정도는 아니라 해도 정말 다양한 많은 문구를 모으고 쓰고 있다. 정리해도 끝이 없는 문구들이다. 근래에는 다이어리에 쓰는 스티커나 마스킹테이프를 곧잘 사기도 한다. 마음에 드는 하나를 고르려는 그 시간에 두근거림이 가득하다.

서점에서 얻는 설렘이 매우 다양해졌다. 사람이 없는 안락한 의자와 테이블이 비어 있는 것을 보는 것, 예상치 못한 곳에서 마음에 드는 책을 발견하는 것, 언제 이런 것이 나왔나 싶은 좋은 문구류 등, 설렘이 가득한 그곳이 무척이나 마음에 든다. 비록 예전 동네 서점에서 느꼈던 두근거림은 다소 줄었지만, 이 정도 기대감으로도 충분하다.

요즘 가장 자주 가는 서점은 온라인 서점이다. 정확히 말하면 온라인 전자 도서관이다. 전자책을 골라서 볼 수 있으면 바로 다운받아 저장하여 쌓을 수 있다. 언제나 책을 사서 쌓아 놓는 것만으로도 뿌듯하고 좋다. 어쩌면 책을 읽는 행위보다 책이 주는 물성을 더 좋아하는지도 모르겠다. 그런 의미에서 전자책을 아주 좋아하진 않는다. 하지만, 어떤 책이 전자 도서관에 올라와 있는지 살펴보는 시간은 어쩜 이리 빨리 지나갈까. 내가 몰랐던 신간이 새롭고, 분명히 기억에 넣었는데 꺼내지 못해 망각했던 책을 만났을 때의 기쁨은 이루 말할 수 없다.

그중에 요즘 가장 많은 시간을 보내는 곳은 '밀리의 서재'다. 밀리의 서재가 서비스를 시작한 초창기에는 관심을 두고 있거나 흥미를 느끼는 책이 많지 않았다. 신간이 별로 없다는 것은 둘째 치고 흔히 말하는 스테디셀러도 별로 없었다. 구독을 해지하고 한참을 잊고 살았다.

그러던 어느 날 대학에 다니는 큰아이가 밀리의 서재를 구독하고 있는 것을 알았다. 학교 수업 시간에 읽어야 하는 책이 있는데 교수님께서 '밀리의 서재를 한 달 무료로 구독해서 공지된 책을 읽어라.' 하셨다고 했다. 그래서 다시 기억에서 나온 밀리의 서재. 볼만한 책이 많다는 아이의 말을 전해 듣고 반신반의하며 다시 밀리에 들어가기 시작했다.

그리고 지금은 밀리의 서재에서 책 구경하는 시간이 무척이나 설렌다. 보석 같은 책을 고를 안목은 없지만, 다행히 주위에 그런 책들을 소개해 주는 지인들이 여럿 있다. 그들이 던져주는 책 제목을 밀리의 서재에서 발견하는 경우가 많아지고 있다. 내 서재가 터지도록, 책장이 꽉 차도록 담아놓고 있다. 자동 삭제가 되지 않는 한 읽은 책을 내가 먼저 지우지도 못한다. 다 읽은 책이라도 치우지 못하는 습성이 그대로 있다.

　요즘은 나름 주제를 갖고 책 쇼핑을 하고 있다. 내 서재에 담기 위한 책 쇼핑, 하루는 '브랜딩'에 관한 책을 잔뜩 골라냈다. '이 책도 여기 있었네!' 또 하루는 좋은 에세이들을 보기 위해 열심히 뒤적거린다. 잊고 있었던 책을 발견하는 순간 읽어 볼 생각에 두근두근 설렌다. 아직 읽지 않은 책이 너무 많이 쌓여 있다. 미니멀 라이프 실천에서 중요한 한 가지는 교보문고 장바구니를 비우고, 밀리의 내 서재를 비우는 것이라고 한다. 나에게는 도저히 비워지지 않는 곳이다. 가끔 정리는 하고 있지만.

　전에는 손에 들고 넘겨보는 것만이 책을 읽는다고 생각했었다. 책을 읽기 시작하면 완독해야 한다는 강박관념도 있었다. 지금도 종이책을 읽는 것이 입체적인 접근이 가능하기에 훨씬 선호한다. 하지만, 책을 읽지 않고 둘러보는 것만으로도 충분한 유희라 생각한다. 그리고, 책을 둘러보는 것은 온라인 전자책으로도 충분하다. 목차를 훑어보고 참고할 만한 서평을 읽어 보는 것도 좋은 이점이다. 읽어야 하는 책 목록이 나오면, 밀리를 먼저 뒤적인다. 보통 반 정도의 책을 확보할 수 있다. 나머지는 도서관에서 대여하고, 대여가 안 되면 구매한다. 또한,

전자책을 읽다가 마음에 들면 종이책을 구매하여 소장한다.

밀리의 서재를 다시 구독한다.

그곳에서 책을 읽지 않아도 나에게 주는 설렘으로 충분하다. 오! 밀리!

2023년 겨울, 우리 집 고딩 소멸

드디어 끝났다!!!

2023년 12월

아이만큼이나 엄마도 좋아한다. '드디어 우리 집에 고등학생이 없다.' 삼 형제를 키우는 엄마이다 보니 오랜 시간 동안 고등 학부모로 살았다. 적당한 터울이라 학교 진학도 적당한 간격을 두고 갔다. 중간에 한 해 정도 고등학생이 없었다. 정말 가벼운 엄마 노릇이었다. 그리고 바로 막내가 고등학생이 되고 이제 3학년을 마무리하는 그때이다.

고등학생 자녀를 키운다는 것은 엄마에게는 부담이면서도 설레는 시간이다. 어느덧 어엿한 청년이 되어 가는 모습에 대견함이 있다. 가끔은 엄마의 지원군으로 너무 든든하다. 무엇보다 무난하게 진학에 성공하면서 엄마에게 큰 안도감과 기쁨을 준다. 그렇지만, 그 순간을 맞이하기까지 마냥 편하기만 한 고등 학부모는 없을 것이다. "지난 일이니 이렇게 이야기하지. 그때 너…. 정말 마음에 안 들었다고!" '마음에 안 든다? 실은 마음에서 내쫓고 싶지 않았나?', '단지 나는 엄마이고 너는 아들이기에 봐주고 넘어온 시간을 모두 세어 꺼내진 않을게. 왜냐하면 이제 너는 고딩이 아니고, 나는 학부모가 아니니까~!'

고등학생이 없는 집의 엄마는 어떤 역할일까? 학부모를 벗어 난 엄마는 무엇을 해야 하는지…. '대학에 입학한다고 모든 것이 해결되지 않는다.'는 것을 잘 알고 있다. '이제부터가 진짜 시작이다.'라고 이야기하면서도 엄마는 너무 홀가분하다. 아이의 인생에서 엄마의 지분이 많이 줄어들었기 때문이다. 타인과 관계 맺으며 곁을 내주고, 자신의 자리를 만들기에 더 치열하게 살아야 하는 그 나이에 엄마는 그저 응원만 해 줄 뿐이다.

그럼, 엄마는…. 엄마도 다시 독립한다. 고등 학부모가 가진 무거운 책임감을 벗으니, 나 개인이 보이기 시작한다. 아이를 진학시키고, 독립시키면 엄마들은 무기력감에 많이 빠진다. '빈 둥지 증후군'이라고 하는 감정의 상태를 겪기도 한다. '품에 있어야 자식이지. 내놓으면 이젠 내 자식 아닌 것으로 살아야지….' 어른들의 말씀이 생각난다. 그리고, 나도 그렇게 하기를 원한다. 이젠 내놓았으니 '알아서 잘 살기'를 바라고, 엄마는

'나 잘살기'에 몰두하고자 한다.

2023년 겨울

드디어 엄마가 독립한다. 독립하기 위해 한 해를 열심히 살았다. 입시생 아이도 열심히 돌보고, 독립을 준비하기 위한 작업도 착실히 하고 있다. 공저이긴 하나 두 권의 책을 쓰고 전자책도 출간하였다. 출간한 책 덕분에 소소한 수입도 발생하고 있다. 출간을 계기로 다양한 활동을 이어가는 중이다. 사실 고3 학부모라 하기에는 엄마인 나의 일로 더 많이 바빴던 것이 사실이다. 하지만, 마음은 늘 아이에게 있었음을 당당히 고백한다.

아이들도 모두 독립하고, 엄마도 독립하는 기념비적인 시간에 엄마는 조용히 고민한다. '독립하는 나를 위해 스스로 어떤 선물을 줄까?' 그리고, 역시나 조용히 집 안을 둘러본다. '애들 책상이 다 있어야 되나?', '집에서는 잠만 자면 되는 것 아닌가?' 조용히 바쁘게 움직이는 엄마는 선물을 결정했다.

'내 서재를 만들어야겠다.'

"자, 이제 우리 집에서 제일 열심히 책 보고 공부하는 건 엄마일 듯하니! 너희들 방을 좀 정리해야겠다. 책상 다 필요 없지? 엄마가 적당히 치워서 엄마 서재를 하나 만들게!" 놀라는 남편을 뒤로하고 당당히 방을 고른다. "내가 이 정도는 해도 되잖아? 엄마가 작가님이거든!"

"그리고, 여기는 주로 엄마가 쓰는 공간으로 할 거야. 너희가 가끔 쓰는 것은 좋지만, 가족 공용이라 생각하면 곤란해!" 단호한 말투의 엄마에게 아무도 반대하지 못한다. 아니, 찬성해 주어야 마땅하다.

엄마의 희생을 논하고자 하는 것은 아니다. 희생이라는 말은 맞지 않다. 그런 마음은 적절치 않다. 희생이 아닌 엄마 노릇이었다. 엄마 노릇 중 중요한 한 가지를 마무리하려는 것이다. 마무리할 수 있다는 것이 얼마나 다행인가. 다시 시작할 수 있다는 것이 얼마나 기쁜 일인가.

2022년 겨울 12월 오늘

고속도로에 눈이 너무 많이 와서 아이를 데리고 오는 길이 쉽지 않았다. 충청권은 대설 특보이고, 수도권은 한파 특보이다. 내려가는 길에는 눈보라로 들어가는 기분, 집에 올 때는 눈보라를 빠져나오는 기분, 하지만, 차창의 눈은 빠르게 얼고 있다. 마음은 급한데 뒤에서 오는 차는 연신 헤드라이트를 깜박거린다. 빨리 가라는 신호다. '이 사람아, 앞에서 못 가고 있다고, 보이는 게 다가 아닌데, 앞차에 막혀 못 가는 것을 왜 모르나!' 물론, 혼잣말이다. 입 밖으로 꺼내지는 못한다. 2학년 마지막 시험을 마치고 오는 아이의 눈치를 보느라 엄마는 다른 얘기도 못 하고 그저 쉬라고만 할 수 있다. 다가오고 있는 겨울이 아이에게 얼마나 부담이 될지 누구보다 잘 알기 때문이다.

무엇 하나 확실한 것 없이 희망으로 과대평가 된 가능성을 여러 곳에 장치해 두었다. '어디에서건 하나는 걸리겠지…'라는 마음으로 일 년을 지내볼 생각이다. 아니, 생각이 아닌 작정이다. 작정해야 해낼 수 있다. 단지 생각만으로는 근처에서 후퇴하기 십상이다. 그래도 끝까지 버텨주는 엄마가 있어야 아이들도 버티는 것 같다. 위의 두 아이들의 경우를 보니 고등 학부모인 엄마의 노릇은 버텨주기였다.

먼저 조급해하고, 먼저 불안해하는 엄마는 되지 말아야지 생각한다. 인생의 기회가 한 번뿐이 아닌 것을 알려 줄 수 있으면 좋겠지만, 아이에게는 현실감이 없을 것이다. 눈앞의 미션이 너무 압도적이다. 온 세상을 얻은 것 같을 수도, 온 세상을 잃은 것 같을 수도 있을 것이다. 그것이 무엇이든 그 지점부터 다시 인생이 시작됨을 알려주고 싶다. 그러니 기다려 보듬어주는 것 외에 다른 방법이 없다. 아이 몫까지 버텨 줄 배포를 키워야겠다.

그럼, 엄마는 무엇으로 버티고 있을까?

2023년 겨울

나의 고딩들이 소멸하고, 강 작가 엄마가 새롭게 태어남을 기다리는 마음으로 버틸 것!

일 년 뒤의 상상으로 오늘도 설렌다.

개인-홀로 해외 생활에 빠지다

20대 중반까지 장기간 한 번도 부모 곁을 떠나 홀로 생활해 본 적이 없다. 대학 졸업하고 경제적인 능력이 된다면 한국을 떠나고 싶었다. 지금의 성향과는 다르게 극 소심했던 10대의 학창 시절 모습이 싫었다. 변하고 싶었다. 성공한 커리어 여성들의 자기계발서를 읽고 자극받았다. 나에게 없는 적극성과 도전정신이 멋있어서 닮고 싶은 욕망이 생겼다. 언젠가는 CEO가 되겠다는 막연한 꿈도 가졌다. 꿈을 이루기 위한 하나의 과정으로 집을 떠나 혼자만의 해외 생활을 목표로 잡은 것이다.

대학 졸업 후 약 4년 동안 대학병원에서 3교대를 하며 돈을 차곡차곡 모았다. 처음 하는 사회생활이 녹록지 않았다. 익숙하지 않은 야간 근무 시간에는 우울한 기분에 젖어 울기도 했다. '이 정도도 못하면 아무것도 할 수 없어'라는 생각에 참고

견뎠다. 선, 후배 간호사들이 따뜻하게 대해주어 지낼 수 있었고 목표가 있어 버틸 수 있었다.

직장생활 한 지 3년이 지나니 원하는 만큼 돈이 모아져서 떠날 준비모드에 돌입했다. 워킹 홀리데이 비자를 발급받고 호주로 떠날 날짜를 정한 후 사표를 냈다. 비행기 티켓을 예약하니 두려움, 설렘, 기대, 걱정 등 다양한 감정이 내 마음속에 들락날락했다. 영어도 현지에 가서 부딪치면서 배우겠다는 마음으로 준비하지 않았고 떠날 생각에 잠을 설치기도 했다. 지금 생각해보면 무식하면 용감해진다더니 용기가 대단했다. 퇴직날을 손꼽아 기다리며 미래에는 빛나는 인생이 펼쳐질 것 같았다.

공항에서 부모님과 헤어지는 순간 영원히 못 볼 사람처럼 눈물 한 바가지 쏟고 비행기에 몸을 실었다. 비행기 안에서도 슬픔에 복받쳐서 오랜 시간 울었던 기억이 난다. 수줍음이 많고 은둔형에 가까웠던 나의 내면에 추진력이 있었다는 게 신기했다. 대학 때 세운 계획대로 돈을 모아서 실행으로 옮긴 스스로가 대견하고 칭찬해 주고 싶었다. 낯선 땅에서 영어도 배우고 친구도 사귀며 일도 해보고 싶었다. 안 해본 것을 해보면서 내가 잘 할 수 있는 것을 찾아가며 기회가 된다면 호주에서 간호사 생활도 도전해볼 생각이었다.

10시간 넘게 비행기 안에서 밋밋했던 내 삶을 돌아다보았다. 호주의 멜버른에 착륙하기 전 비행기 안에서 내려다본 지역의 첫 느낌은 정돈되어 보였고 도시적이지 않아 끌렸다. 높은 빌딩이 많지 않아 안정되어 보였다. 도착하자마자 어학원부터 알아보고 영어 연수를 받고 틈틈이 그들의 문화 속에 빠져들기 위해 노력했다. 아는 영어단어를 동원하여 모르면 질문하고 적응하려 애썼다. 불편하지만 바디 랭귀지도 통하니 어디서나 살아갈 수 있겠다 싶었다. 언어의 장벽을 단시간 내 넘기기는 쉽지 않았다.

언어를 빨리 배우고 싶은 마음에 영어만 사용해야 하는 환경을 만들려고 한국인이 많지 않은 곳에서 생활했다. 시간이 지나면서 혼자만의 해외 생활이 지독히 외로웠다. 몇 개월이 지나니 건강상 문제가 생겼다. 몸에 염증이 생겨 통증이 있었다. 얼굴 부종이 심하고 염증이 터져 상처가 남았다. 면역 체계가 깨져 신체에서 반응이 나타난 것이다. 계속 머무르기에 무리가 있을 것 같아 호주에서 가까운 뉴질랜드를 여행하고 우리나라로 귀국했다. 장기간 홀로 즐길 수 있는 성향이 아니라는 사실을 알게 되었다. 혼자 지내본 적이 없어 몰랐다. 호주에서 예상했던 것보다 오랜 기간 머물지는 못했지만, 도전정신과 자신감이 생겼고 한국에서는 못 느꼈던 색다른 경험이라 귀중한 추억으로 남았다.

그 시절을 떠오르면 하나에서 열까지 혼자 알아보고 정하고 진행한 것이 열정이 있었기에 가능했다. 지인들은 내가 다니던 직장을 퇴직하고 젊은 나이에 홀로 떠난다고 하니 해외 나가면 고생한다고 말리기도 했다. 아빠께서는 걱정을 많이 하셨고 해외 나가 생활하다가 사건, 사고가 날까 봐 강하게 반대하셨다. 젊은 20대 여자 혼자 가보지 않은 세상으로 들어간다니 걱정하시는 것이 당연하다. 내 의지가 완강했기에 갈등을 무릅쓰고 진행했다. 아빠께는 죄송했지만, 나의 판단이 옳다고 생각했다. 직장생활만 끝까지 하느냐 걸어가 보지 않은 다른 삶도 살아보느냐는 본인의 선택에 달린 것이다.

지금까지 살면서 가장 잘한 것을 꼽으라면 홀로 해외 생활을 해 본 것이다. 누구의 도움도 받지 않고 혼자 해낸 것이 뿌듯하다. 가보지 않았으면 아쉬움이 남고 후회했을지도 모른다. 나만 간직 할 수 있는 추억도 가슴 한쪽에 자리 잡고 있어 언제든지 꺼낼 볼 수 있어 행복하다. 짜릿함, 설렘, 긴장, 흥분되었던 다양한 일들이 떠오른다. 이러한 감정은 생각만 해도 엔도르핀이 나온다.

호주에서 긴 기간 동안 지내지 못한 아쉬움이 있어 가족이 생기면 함께 지내는 해외 생활을 버킷리스트에 포함했다. 갈망하고 간절하면 꿈이 이루어진다. 40대에 가족과 함께 스위스에서 1년 동안 거주할 기회를 만들어 유럽 여행하며 문화를 누릴 수 있었다. 가족이 있어 외롭지도 않았고 충분히 그 문화를 흡수하며 즐기고 삶의 여유를 찾을 수 있었다. 상황이 허락되지 않아 1년 만에 귀국했지만, 몇 년을 스위스에서 살고 싶었을 정도로 그곳이 지상낙원이었다. 해외 생활에서 느꼈던 설렘은 몇 년이 지나도 그리워서 지금도 남편과 이야기를 나누곤 한다. 노트북에 담겨 있는 사진을 꺼내 보면서 함성을 지르며 그때의 감정을 끄집어낸다.

홀로 해외 생활을 해 보았기에 다음번 해외 생활에 대한 두려움은 크지 않았다. 생활해 보니 사람 사는 것이 크게 다르지 않다는 것을 알아서 편하게 지낼 수 있었다. 50대에는 남편과 둘이서만 어느 나라에서 살아볼 것인지에 관해 이야기도 나눈다. 전 세계에는 200여 개의 국가가 있다. 이 중 몇 개국이라도 살아볼 수 있다면 직접 체험을 통해 인생 즐겨보는 것도 의미 있는 일이다. 그런 날을 손꼽아 기다리는 마음이 있다면 하루하루가 설렘으로 가득하지 않을까! 낯선 것을 시도하고 체험해 보면 또 다른 낯선 것도 도전하고 싶어진다.

희열-아이와 함께한 출산

아이를 좋아하지 않지만, 결혼하고 가족을 이룬다면 1남 1녀를 낳아 키워보고 싶었다. 신기하고 감사하게도 원하는 가족 구성원을 이루었다. 결혼 몇 개월 후 임신하고 아이와 함께하는 동안 설렘의 연속이었다. 임신 초반에는 출혈이 있어 심장이 떨렸고 안정기 접어들 때까지 회사에는 병가를 내고 휴식을 취했다. 임신 5주가 지나면서 속이 매스꺼워 입맛이 떨어지는 입덧 증상도 나타났다. 임신 주기마다 나타나는 증상들이 있어 몸이 편하지는 않았지만, 옆에서 가족이 지지해주어 지낼 수 있었다.

정기적인 검사를 위해 산부인과를 방문해서 초음파로 아이와 만났지만, 실감 나지 않았다. 얼굴 윤곽이 드러나고 태동이 느껴지면서 신비로움의 강도는 세졌다. 살아있는 생명체가 배

속에서 움직이니 현실로 느껴졌고 아이와 만나고 싶어져 출산이 기다려졌다. '성별이 무엇일까?' '외모는 누구를 닮았을까?' '어떤 성향의 아이가 태어날까?' 궁금하고 기대되었다. 막달이 되니 체중이 18kg까지 증가하여 거울을 보니 곰 한 마리가 보였다. 살이 쉽게 찌는 체질이다 보니 몸을 많이 움직였는데도 체중이 늘어나 얼굴이 달덩어리가 되었다. 상상하지도 못한 최대 몸무게가 되니 불편해서 밤에 잠을 자지 못하고 이리저리 뒤척였다. 바로 누워 있으면 가슴을 누르는 느낌이 들어 숨도 쉬기 힘들었다. 옆으로 누워 자면 배가 산만큼 높아 불편하기는 마찬가지였다. 출산하러 가는 날에도 잠을 깊이 자지 못해 밤을 새우고 병원으로 갔다. 엄마 되는 과정에 참아내야 할 것들이 많았다.

출산일이 다가오자 출산용품을 하나씩 준비하느라 마음이 바빴다. 아기의 옷, 이불, 손수건, 포대기, 베개, 목욕통 등을 마련하며 작은 물건들을 보니 출산이 임박해졌다는 것이 느껴졌다. 생각보다 구매해야 할 소품들이 많았다. 앙증맞은 물건들을 보니 미소 지어졌다. 검소한 생활이 몸에 밴 나는 필수품목만 구매하고 알뜰하게 소비했다. 신생아 물품을 구매하기 위해 구경하고 정보를 알아가는 시간도 행복했다.

임산부일 때 남편으로부터 많은 배려와 보호를 받았다. 남편이 나를 위한 것도 있지만, 아이와 한 몸이라 애틋해서 돌봐주려 했던 마음이 커 보였다. 차를 탈 때도 문을 열어주거나 인도에서 걸을 때도 안쪽으로 걷도록 에스코트해주었다. 그 시절이 여왕 대접 받았던 때라 그립기도 하다. 임신 초에 출혈 증상이 있을 때는 아이가 잘못될까 봐 신랑도 안절부절못했다. 출산할 때 우리 부부는 부모가 된 것에 감격하여 눈물을 흘렸다.

10개월을 함께 하고 나면 자연스럽게 엄마는 아이를 세상밖으로 내보내려 애쓰고, 아이는 세상에 나오려고 노력하는 과정을 통해 극적인 상봉을 하게 된다. 혼자만의 노력이 아닌 엄마와 아이 둘이 호흡을 잘 맞춰야 건강하게 만날 수 있다. 경이로운 일이고 엄마만 느낄 수 있는 감정이라 복받치는 순간이다. 출산 과정에서 문제가 발생하는 일이 있기 때문에 건강한모습을 보기 전까지 초조하다. 병원에서 근무하며 다양한 사례를 보아서 다른 임산부들보다는 덤덤했다. 자연 분만을 고집하여 고통을 참아냈다. 첫째는 약 다섯 시간의 진통, 둘째는 두 시간 정도의 진통을 겪고 나서야 아이와 만났다. '견딜 수 있는 통증을 주겠지.'라는 생각이 들며 친정엄마의 위대함도 떠올랐다.

아이가 나오면 남편이 탯줄을 끊을 수 있도록 의사가 남편에게 가위를 전해준다. 그런 과정을 통해 부성애도 생기고 생명의 소중함을 알게 된다. 간호사가 손가락, 발가락이 몇 개인지 체크하고, 신생아 울음소리 듣고 발 도장 찍고 확인시켜준후 신생아실로 데리고 간다. 태어나자마자 아기의 얼굴이 상상했던 것보다 깨끗하지는 않았지만 건강하게 태어난 것에 감사하다는 말로 아이와 인사를 나누었다.

모든 엄마가 출산 전 설렘과 출산 후 감격으로 만감이 교차했을 것이다. 생활하다가 고통과 마찰이 생기면 귀엽고 웃음을 선사해주었던 아이의 어린 시절 모습을 떠오르면 마음이 차분해진다. 낳는 것보다 키우는 것이 몇 배 더 힘들지만 한 명보다는 두 명이 있으면 서로 의존할 수 있을 것 같아 둘째도 낳았다. 한번 낳아 길러봤기에 둘째는 수월하게 출산하고 키우는데도 어렵지 않았다. 경험이 고난과 고통을 감소시켜준다.

고민, 좌절, 실망하는 시간도 찾아오지만, 인생을 배워가는 과정이다. 아이가 성장할 때 부모도 함께 성장하고 배움이 있었기에 다시 태어나도 1남 1녀를 낳고 키울 것이다. 완벽한 엄마 노릇을 장담하지 못하지만, 최선을 다하는 모습을 보여주려 한다. 아이들 덕분에 해보지 않은 것을 하게 되는 경우도 있어 실전 공부가 되고 있다. 육아하면서 희로애락을 느끼며 난관이 찾아와 극복해야 할 상황이 생긴다. 엄마도 어른다운 어른으로 철이 드는 과정이다.

성인 남녀 둘이 만나 결혼 후 셋이 되고 그 후 넷이 되는 순간마다 희열이 가득했다. 한 생명을 잉태하고 낳기까지 신비롭고 축복받는 일이라 생각한다. 출산을 통해 성취감도 맛볼 수 있다. 한 몸에서 둘로 분리되어 새로운 생명체의 탄생은 경이로움 그 자체이다. 출산에 대한 기억이 아직도 생생하기에 영원히 잊지 못할 이벤트가 되었다. 탄생에 대한 감탄하는 마음을 오랜 시간 간직한다면 아이를 키우며 화를 낼 일도 줄어든다. 출산은 엄마 혼자가 아닌 아이와 함께해야 가능한 일이므로 아이에게 감사한 마음이 든다.

환기-정서적 자양분을 찾아서

　반복되는 일상이 몇 년 지속되면 지루해한다. 같은 공간에서 매일 보는 사람들과 영양가 없는 이야기를 나누는 것이 고리타분하게 느껴졌다. 매일 회사 업무에만 몰입하고 일 이야기를 주로 하는 사람과도 재미없어 멀리하게 된다. 기존의 틀에서 떠나고 싶을 때가 있지만 회사는 생계를 유지해주기 때문에 쉽게 놓을 수가 없다. 많은 직장인이 나와 같은 고민을 할 것이다. 다른 방향으로 선택할 수 있지만 이 직장에서 계획한 목표가 있어 머물러 있다.

　회사에 소속되어 일하면 안정적인 삶은 유지할 수 있다. 하지만 역동적인 일이 없어 때로는 지겹게 생각된다. 현재 삶의 패턴에서 벗어날 수 없다면 즐기는 것이 현명하지 않은가! 어떻게 하면 재밌게 지낼 수 있을까를 늘 고민했다. 회사 내에서 신나는 일이 없다면 퇴근 후 일상에서 찾아야겠다고 마음먹었다. 아이들에게 엄마 손을 덜 필요하게 되는 시점이 오기를 기다렸다. 가족회의를 거쳐 40대 초에 공부하고 싶었던 분야인 상담심리대학원에 입학했다. 회사 다니며 공부가 가능할 것 같아 야간 대학원에 진학했다. 40대에 다시 학생이 되니 청춘으로 돌아간 느낌이었다. 간호학과를 졸업했지만 20대부터 심리에 관심이 있었다. 우선 '나'라는 인간에 대해 궁금했기 때문이다. 10대 때 마음이 힘들었던 것이 상담심리에 관심 가지게 된 이유이다.

30대에 사이버 대학에서 상담심리를 공부해보니 자신을 이해하고 수용하는 데 도움이 되었다. 그 후 기회가 된다면 상담심리에 대해 깊이 공부하고 싶었다. 대학원에 입학하고 주 2회는 퇴근 후 학교로 가서 배움에 빠졌다. 귀가하면 밤 11시 가까이가 되는 생활을 2년 동안 했다. 방학이 있어 여유도 있었다. 교수님의 상담 이론 강의를 듣고 학생들끼리 조별 토론이나 과제를 했다. 학생 중에는 현장에서 상담을 직업으로 하고 계신 분들이 많았다. 그분들의 도움을 받아 가며 다양한 이야기를 들을 수 있어 학교 가는 길이 즐거웠다. 매일 보는 사람들과 다른 세계의 사람들을 만나는 것은 정서적 자양분이 되었다.

과제를 위해 가족이나 직장 동료들을 대상으로 상담하면서 상담의 깊이를 알아갔다. 경험해보면 해볼수록 상담이 결코 쉬운 일은 아니었다. 강의를 집중해서 듣고 집에 오면 녹초가 되어 씻고 하루를 정리했다. 잠들어 있는 아이들에게 스킨십하고 소중한 하루를 열심히 살아낸 것 같아 만족스러운 마음으로 편하게 누웠다. 나이를 먹어서도 공부를 할 수 있는 환경이 주어져 감사했다. 회사만 다니지 않고 학교까지 다니니 시간은 빛의 속도로 흘러갔다.

신기하게도 월, 화요일에 학교 가는 날에는 출근하는 발걸음도 가벼웠다. 학교에 가서 기분전환을 할 수 있고 나에 대한 성취감이 크게 다가왔다. 성취감으로 살아있는 느낌을 받기에 몸은 피곤했지만, 정신은 깨끗하고 맑아졌다. 에너지가 생기고 배울 내용에 대한 기대감으로 수업을 빠진 날도 없었다. 병원에서 3교대로 근무할 때는 남들처럼 정상적으로 아침에 출근해서 저녁에 퇴근하는 회사에 다니고 싶었다. 소원을 이루었지만, 초반에만 좋았고 연차가 올라갈수록 발전과 변화 없이 정체된 것 같아 한눈팔기가 시작된 것이다.

의무적으로 해야 하는 공부가 아니었기에 자기 주도 학습이 되었다. '오늘은 어떤 사람들과 이야기를 나눠볼까?' '배우고 나면 나에게 도움이 되는 것은 무엇일까?' 을 생각하며 설레는 마음으로 지냈다. 배우고 나면 후퇴가 아니고 전진해 나갈 수 있어 계속하게 된다. 전진의 속도가 나노만큼 미세할지라도 아무것도 안 하는 사람과는 다를 것이라 믿는다. 셀프 평가를 해보면 예전보다는 내가 나아지고 있다.

가족들의 후원과 지지로 졸업을 할 수 있었다. 시작할 때는 까마득하고 걱정이 앞섰지만, 지나고 나니 눈 깜짝할 사이에 마친 것 같다. 마음이 있을 때 결정하고 나면 해내게 된다. 성실성이라는 장점이 있어 시작하면 끝을 보기에 마무리할 수 있었다. 대학원을 졸업하고 상담 관련 일자리 의뢰가 들어왔지만, 경력도 없고 누군가를 상담해주는 것은 용기가 나지 않아 선택하지 않았다. 내담자를 위한 전문 상담자는 몇 년 동안 꾸준히 배워야 한다. 상담 공부를 통해 내 성향에 대해 인지했고 나를 위해 충분한 투자 가치 있는 일이었다. 삶을 받아들이는 마음가짐도 달라져 큰 수확을 얻은 것으로 만족한다.

회사에서 슬럼프에 빠질 시기였는데 공부로 극복했고 신선한 공기처럼 다가왔다. 삶이 답답하고 무미건조할 때는 좋아하고 원하는 배움을 통해 엉킨 실타래 풀듯이 풀어간다. 재미 요소가 하나라도 있으면 그 힘으로 하루를 버티게 된다. 아이와 함께하는 시간, 독서하는 시간, 사람들과 수다 떠는 시간 등 재미를 느끼는 시간이 사람마다 다르다. 밀폐된 공간에 장시간 있으면 두통 오듯이 삶의 정체감을 없애기 위해 주기적으로 환기를 시켜주는 것을 찾아가고 있다. 그 안에서 설렘을 안고 끝까지 해나가게 된다.

성장-내 삶을 읽고 쓰기로 버무리다

학교에서 전공으로 문학 관련 수업을 배운 적이 없지만, 힘들 때나 즐거울 때 끄적끄적하며 감정을 글로 남겼다. 학창 시절에는 친구가 많지 않았다. 혼자 있을 때는 긍정보다는 부정적인 글을 적었다. 육아 휴직 때도 육아 일기를 간간이 쓰며 속마음을 기록으로 남겼다. 독서하며 깨달음을 얻고 삶에 대한 자세를 배워나갔다. 인문학, 역사, 자기 계발, 마케팅, 에세이, 트렌드 관련 책을 통해 내 생각을 정리하고 하고픈 것을 찾아갔다.

30대 때는 워킹 맘으로 지내면서 아이들 위주의 삶을 살았다. 휴가도 아이들을 위해 사용하고, 주말에도 아이들이 좋아할 만한 이벤트로 채워 넣었다. 나를 돌볼 시간도 없어 심신이 지치고 면역력이 떨어졌다. 몇 개월 동안 원인 모를 두드러기가 생겨 여러 군데 병원에 다녔다. 시간을 아끼기 위해 감기에 걸려도 점심시간을 이용하여 병원을 방문했다. 아이 어릴 때는 수면 시간이 부족하여 만성 피로가 누적되었다. 간절히 휴식을 취하고 싶을 때도 여유가 없어 쉴 수 없었던 시기였다.

10년 넘게 회사 생활하고 있을 때 스위스에서 1년 동안 거주할 기회가 주어졌다. 익숙한 것과 결별하고 가족과 함께 다른 환경에서 지낸다는 것 자체가 기쁨이었다. 시간적 여유가 생기니 꾸준한 독서와 하고 싶은 이야기를 글로 쓰기 시작했다. 읽고 쓰는데 가까이 갈 수 있게 된 계기가 되었다. 전환점이 되는 시점이었다. 원고를 완료해서 2019년에 책을 출간했다. 쓰기를 통해 과거 스토리를 끄집어내어 나를 돌아보는 여정의 시간을 가졌다. 읽기를 통해 저자의 메시지를 짚어내고 내 삶과 견주어 보며 단점은 고쳐가고 배울 점은 메모하고 있다.

독서하다가 나와 궁합이 잘 맞는 책은 그다음 내용이 무엇인지 궁금해서 가슴이 뛰며 기대심이 올라간다. 이 설렘을 오랫동안 간직하고 싶었고 마지막 책장을 덮으면 다 읽은 것에 아쉬워졌다. 소설책을 즐겨 읽지 않지만, 최근에 황보름 작가의 『어서오세요. 휴남동서점입니다』라는 책을 읽었다. 제목에 '서점'이라는 단어가 들어가 있어 끌렸다. 몇 년 후 북 카페를 운영하고 싶은 로망이 있어 이 책이 눈에 띄었고 몰입하게 되었다. 책의 주인공이 내가 원하는 삶을 살고 있어 내가 주인공이 된 듯한 느낌으로 책에 빠져들었다. 단시간 내 읽어 내려갔다. 사업 구상이 되면서 북 카페를 어떤 식으로 꾸미고 어떤 내용으로 진행할 것인지 상상하며 읽으니 신이 났다. 당장 북 카페를 시작하는 것도 아닌데 이상을 그리니 이미 시작한 것처럼 흥분되었다. 내 정서와 코드가 맞는 책은 사람과의 만남에서 느껴지는 설렘보다 농도가 짙을 때도 있다. 연인과 데이트하듯이 책과 연애에 빠지는 느낌이 든다. 공감 잘 되는 사람 만나면 행복하듯이 양서를 만나면 삶에 활력을 준다.

생각에 그치는 것이 아니라 실행력이 뛰어난 사업가들의 자기계발서는 삶에 원동력을 가져다준다. 유튜버이자 사업가인 김 작가, 자청, 신사임당 등의 책은 게을러지고 지쳐가는 나를 채찍질한다. 할까 말까 고민하는 일들을 끝까지 마무리할 수 있도록 지지해준다. 직접 전해주는 조언처럼 들리고 실행할 수 있게 이끌어준다. 에너지를 샘솟게도 해준다. 뻔한 이야기의 책 내용이라도 내 것으로 만들지 못하는 경우가 많다. 읽는 것에 그치지 않고 내 삶에 반영하고 시도할 줄 알아야 책을 통해 성장하는 것이다. 새벽에 30분, 퇴근 후 시간을 내어 책과 함께하는 이유이다.

사람을 통해 배우는 것은 일시적, 즉흥적일 때도 있지만 책을 통한 성장은 사유하게 만들어 여운이 오래 간다. 감동 포인트를 곱씹으며 다시 읽기도 한다. 책을 소장하고 있다가 나이, 내 감정 상태에 따라 다시 읽으면 그 느낌도 다르다. 중년기가 되니 책을 접하는 시간이 많아져 독서를 삶의 우선순위에 두고 희망 가득한 마음으로 대하면서 50대 인생을 맞이하기 위해 준비한다.

MKYU 김미경 학장님께서도 읽고 쓰는 것을 강조하셨다. 꾸준히 하면 실력이 쌓여 잘하게 되고 생계로도 연결할 수 있다고 하셨다. 실제로 많은 MKYU 열정 대학생들이 사업으로 연결해 수익화로 결실 과정을 보여주고 있다. 어떤 사업을 하든지 바탕이 되는 것은 독서의 힘이라 생각한다.

육아 방법 면에서도 독서를 통해 반성하고 뉘우치며 나아지려 노력한다. 쉽게 화를 내는 기질적인 성향 때문에 아이들에게 미안한 마음이 종종 든다. 피로가 쌓이면 아이들에게 짜증을 내게 된다. 나쁜 행동인 줄 알면서 참아내는 힘이 부족해서 소리를 지르게 된다. 소리 지르는 것도 아동학대에 포함된다고 하니 조심스럽다. 한 번에 고쳐지지 않으니 수시로 육아에 도움 되는 책을 여러 번 읽고 아이들과 소통하고 공감하려고 매일 다짐 한다. 교장 선생님이신 이유남 작가님께서 쓴 『엄마 반성문』을 읽고 반성할 부분이 무엇인지도 생각했다. 그 책을 읽고 아이들에게 충분한 자율권을 주고 자기 주도 학습을 할 수 있도록 지원해주고 있다.

아이들이 초등학교 고학년 때부터는 말귀를 알아듣기에 상황 설명해 주고 엄마를 이해해 줄 부분은 대화로 풀어간다. 이제는 중, 고등학생이라 집안일도 함께 해주고 저녁에 가족이 모여 학교에서 있었던 이야기를 해주면 경청하려고 노력한다. 각자의 터전에서 있었던 스토리를 전해주니 감사하다. 책에서 주는 지식을 아이들에게도 적용하며 지내고 있다. 이렇게 읽고 쓰기는 내 삶과 잘 버무려져 삶을 풍성하고 풍요롭게 만들어 준다. 오늘도 공동 저자로 책을 출간하기 위해 퇴근 후 노트북 앞에 앉아 있다. 여러 번의 경험을 통해 책을 출간하다 보면 울림이 있는 글로 사람들에게 영향력도 줄 수 있는 날이 올 것이라 믿는다. 신체 성장은 멈췄지만, 읽고 쓰기를 통해 눈에 보이지 않는 내면의 성장은 계속될 것이다.

여행-따뜻함을 나눌 수 있는 장소

크리스마스가 다가오면 흰 눈이 소복이 쌓인 모습과 신나는 캐럴이 떠오른다. 말로만 듣던 유럽의 크리스마스 마켓을 직접 눈으로 보고 싶어 여행 계획을 세웠다. 늘 그렇듯이 여행은 떠나기 전에 정보를 알아보고 준비하는 과정에서 설렘이 찾아온다. 그 당시 스위스 루체른에 거주하고 있었기에 아침 일찍 바젤까지 기차를 타고 가서 구경하고 오후에는 취리히로 가서 거리 공연과 함께 크리스마스를 즐기는 일정을 세웠다.

가방에 먹거리를 챙겨서 따뜻하게 입고 기차역으로 향했다. 프랑스와 독일에 근접해 있는 바젤에 준비된 마켓은 아기자기하고, 소박하니 예쁜 장식품과 수공예품이 진열되어 있었다. 추운 날씨에 작은 공간으로 옹기종기 가게들이 모여 있었고, 판매자들은 미소를 지으며 손님을 맞이하는 모습에 행복감이 넘쳤다. 충동구매 하고 싶을 정도의 귀여운 물건들이 많아 눈이 호강하고 그곳을 맴돌게 했다.

다양한 체험 중 색다른 경험을 하고 싶어 초를 만들어 보았다. 녹아 있는 초물에 긴 심지를 넣었다 뺐다 하여 초를 굳히며 기다란 초를 만들었다. 30분 넘게 공을 들여 긴 모양의 초가 완성되었다. 아이들이 본인들의 완성품을 보고 즐거워했다. 사람들이 모이는 곳에는 먹거리가 빠지지 않는다. 우리나라에서 감기 예방 차원으로 유자차, 생강차를 마시듯이 유럽에서는 원기 회복과 감기 예방을 위해 따뜻한 와인인 '글루바인'을 마신다. 그날 마켓에서 처음으로 마셔보았다. 약간 달콤하니 목 넘김이 부드러웠다. 따뜻한 차로 몸을 녹일 수 있었다. 가족, 친구 단위로 삼삼오오 크리스마스 마켓을 즐기는 사람들로 붐비는 모습을 보니 활기차서 덩달아 신이 났다. 연말이라 마음도 편하고 흥겨운 사람들과 함께하니 분위기가 좋아 어깨가 들썩거렸다. 타국에서 크리스마스를 보내는 것도 추천하는 여행 코스이다.

마켓에서 아이들에게 기념으로 남겨주기 위해 보드 게임 종류 중 하나를 구매했다. 그것을 가지고 싶어 가게 앞에서 한참을 머물러 있기에 사주지 않을 수가 없었다. 몇 개월은 둘이 한참을 가지고 놀더니 몇 년이 지난 지금은 찾지도 않는 물건이 되었다. 그 물건을 보면 크리스마스 마켓을 떠오르게 된다.

크리스마스 시즌에는 캐럴 음악이 울리니 분위기가 고조되어 흥이 난다. 음악이 주는 긍정적인 효과이다. 아는 노래가 나오면 따라 부르기도 한다. 바젤에서 점심 식사 후 오후가 되어 그다음 여행 장소인 취리히로 갔다. 취리히는 스위스의 최대 도시이며 경제 도시라 사람들이 에너지 넘치고 북적거렸다. 기차역에 내려 시내로 걸어가니 진눈깨비가 날리고 화려한 조명으로 장식해 놓았다. 시내 중심에 크리스마스트리 모양을 크게 만들어 놓고 중간중간 아이들이 들어가 있어 합창 공연을 준비 중이었다. 추운 날에도 아이들은 빨간 모자와 목도리를 두르고 환하게 웃으며 귀여운 표정으로 열심히 노래를 불러주었다. 신나는 노래로 하모니를 멋지게 뽐내니 환상적이었다. 손뼉을 치고 환호로 대응해 주었다. 멋진 공연을 보면서 감탄사를 내뿜었다. 동영상을 찍고 춤을 추는 사람도 있었다. 끝까지 공연을 보고 기립 박수로 마무리했다.

성탄절에 가족 단위로 훈훈한 분위기가 느껴져 내 마음도 따뜻해졌다. 기차를 타고 늦은 시간 다시 루체른에 있는 집으로 돌아왔다. 늦은 밤까지 대중교통이 운행하여 안전하게 귀가할 수 있었다. 이른 아침부터 설렘에서 시작해서 멋진 공연을 관람 후 설렘으로 마무리한 하루였다. 아름다운 음악과 행사들로 유럽의 문화를 체험할 수 있었다. 실제 가서 보니 사진이나 동영상으로 보는 것과 감흥이 다르다. 혼자가 아닌 가족이 함께 있어 기쁨이 몇 배 더 증폭했다. 기회가 주어진다면 크리스마스 시즌에 또 유럽으로 여행을 가서 마켓을 방문하여 눈으로 보고 사람들과 이야기 나누고 싶다. 날씨는 춥지만, 마음은 따사로움으로 가득했다. 소녀 감성이 가슴 깊은 곳에서 올라와 크리스마스 마켓 매력에 푹 빠지게 될 것이다.

스위스 바젤 크리스마스 마켓

스위스 취리히 인간 크리스마스 트리에서 공연 모습

미래-세 번째 직업을 위한 준비

연말이 되면 새로운 해를 맞이할 마음에 들뜨기도 하고 나이 한 살 먹기에 씁쓸해지기도 한다. 20대부터 꿈이었던 대표가 되는 열망은 항상 마음 한쪽을 차지하고 있었다. 삶의 가치와 의미를 사유해서 원하는 사업을 하고 싶은 꿈이 있다. 돈만 추구하는 사업보다는 소규모로 일을 하더라도 일에서 보람이 느껴졌으면 한다. 그것을 준비하기 위해 하나씩 시도하고 구상하고 있다.

앞으로 읽고 쓰는 것에 집중도를 높이려 한다. 필력을 키우기 위해서 유명한 작가들은 매일 쓰는 연습이 필요하다고 강조한다. 글감이 되는 소재가 있으면 메모하는 습관을 지니는 것도 필수라고 한다. 첫 에세이집을 내고 나니 꾸준한 쓰기 연습의 중요성을 깨달았다. 읽고 쓰는 데 진심인 분들과 가까이서 보고 배우면서 실천을 통해 꾸준함을 가지려 한다. 혼자 계획 세우고 진행하다가 지칠 때가 생기기 때문에 틀에 가두어 함께 하는 커뮤니티가 필요하다. 마음먹고 뭔가 시작하면 끝까지 해내기가 쉬운 일이 아니기 때문이다. 나약한 인간이기에 흔들릴 경우가 생긴다. 그래서 공동 저자로 책을 출간하기 위해 매일 글쓰기를 하고 있다. 규칙적으로 시간을 내서 글쓰기를 함께 하니 진도를 뺄 수 있다. 자기 계발서인 『시작의 기술』, 『역행자』, 『빠르게 실패하기』라는 책에서도 어떤 일을 시작하고 추진하는 것을 강조한다. 성공자들은 실행력이 뛰어나다는 공통점을 매일 아침 상기시키고 있다.

2019년도에 첫 번째 책을 출간하기 위해 50군데 넘게 출판사 담당자에게 이메일을 보냈다. 인지도가 없는 나의 출간 기획서는 쓰레기통으로 들어갔는지 답변이 없었다. 출판사 입장에서 당연한데 막상 현실이 되니 마음이 좋지는 않았다. 기다림 끝에 운 좋게도 작은 출판사에서 러브콜이 와서 계약서를 작성했다. 혼자서 소리 지르며 얼마나 좋아했는지 모른다. 불가능할 것 같았던 일이 현실이 되니 신기하기도 하고 글에 대한 책임감이 느껴졌다. 책을 만들고 싶은 이유는 내 생각을 글로 남겨 아이들에게 전해주고 싶기 때문이다. 때로는 글이 말보다 강력한 힘이 있기도 하다. 내면을 들여다보며 원하는 삶의 방향을 잡을 수 있다. 주어진 삶대로 시곗바늘 돌듯이 반복되는 삶 말고 즐거우면서 타인도 즐겁게 해줄 수 있는 일을 찾아가고 싶다. 다수가 행복할 수 있는 일을 하고 산다면 삶이 풍요롭게 여겨질 것이다. 죽음을 맞이할 때 잘 살고 간다고 말하고 살아온 것에 후회가 덜 될 것이다.

앞으로 몇 년 안에 북 카페를 개설하고 싶어 도움이 되는 것들을 실행해보고 있다. 첫 번째 직업 간호사, 두 번째 직업 회사원, 세 번째 직업을 상상으로 그려보는 것으로도 심장이 두근거린다. 오랜 시간 그려왔던 것을 해낼 수 있도록 준비하는 것도 여행을 떠나기 전 준비하는 과정과 비슷하다. 완벽한 준비로 시작할 수는 없다. 하나씩 해나가면 원하는 삶에 가깝게 다가가는 것이다. 뜻이 같은 사람들과 동행하고 2050 엄마들을 대상으로 독서를 전파 시키는 일도 병행하면 보람 있을 것이다. 하나의 시작으로 자리 잡으면 그 후 가지치기를 하며 또 다른 일을 할 수 있게 된다. 나만 위하는 삶보다는 연대 의식을 가지고 더불어 살아가는 세상을 만드는 데 일조를 하고 싶다.

직장인보다 프리랜서나 사업을 하면 건강에 더욱더 신경을 써야 한다. 회사는 휴직을 내도 생계가 유지되지만, 자영업은 내가 멈추면 생계유지가 힘들어져 자기관리가 중요하다. 나에게 맞는 운동 찾아가며 기존에 했던 복싱 운동도 하면서 근력을 키우는 데 심혈을 기울일 것이다. 건강이 유지되고 경제적인 힘만 있으면 삶의 질은 높아지고 재미있게 살아갈 수 있다. 노후가 되어도 건강과 경제로 피폐한 삶을 살지 않기 위해 20대부터 일하고 알뜰하게 살아왔다. 하기 싫고 힘들어도 버티고 견뎠으니 50대에는 내가 좋아하면서 하고 싶은 일 하며 타인에게도 도움이 되는 일에 몰두하려 한다.

또한 MKYU 지역 리더 활동을 통해 참신하고 새로운 일을 기획하고 진행하려 한다. 부지런하게 움직이고 벤치마킹을 통해서 해보지 않은 것을 하면서 몰랐던 것들을 알아가는 재미도 있다. 사람을 중심에 두고 본질에 충실하며 기본을 잃지 말아야 리더 역할을 잘 해내는 것이다. 사람 심리를 읽어내지 못하면 일이 풀리지 않는다. 사업을 위해서는 마케팅, 인문학 분야의 책을 정기적으로 읽으며 내면을 단단하게 하여 성공의 결실을 맺고 싶다.

20대 때부터 꿈꾸던 것을 글로 적어놓고 연령대마다 소소한 꿈이 이루어지고 있는 것에 감사하다. 확언하고 시각화를 위해 글로 써 놓으면 이룰 확률도 높아진다. 지금껏 연령대별로 계획했던 것들에 투자하며 살아온 것처럼 나이를 먹어도 목표를 향해 갈 것이다. 미루지 말고 할 수 있을 때 시작하는 것이다. 하다 보면 나의 길이 명확해지고 선명해져서 신나게 달리고 있는 자신을 볼 것이다. 두려움을 떨쳐버리고 포기하지 않으면 시간 차이가 날 뿐이지 원하는 꿈 가까이에 다가갈 수 있다. 한 번 살아보는 인생인데 다양하게 경험해 보고 그 안에서 진정으로 원하는 내 삶을 찾아가려 한다.

좋은 것이 있으면 주변에 전파해서 복잡한 인생에 감칠맛이 날 수 있도록 나누고 있다. 지금도 양서를 발견하면 회사 동료들에게 읽어보라고 선물하거나 빌려주고 있는 것처럼 말이다. 작은 것에서부터 시도해본다. 선한 영향력을 행동으로 보여서 아이들도 영향을 받았으면 한다. 부모가 꿈을 이루는 모습을 보이면 아이들도 자신의 꿈에 대해 고민하고 찾아간다. 2 올해는 내 꿈을 향해 한 발짝씩 내디디며 새로운 직업을 위해 준비하는 해로 삼으려 한다. 하고 싶은 것이 있다는 것은 설렘 가득한 일이다.

나의 나를 찾게 해 주는 것

오늘 새벽에 창문으로 새하얀 눈을 보았다. 밤새 부지런히 내려와 세상을 하얗게 만들어 놓았다. 빈 곳도 없이 어쩜 그렇게 빼곡히 새하얗게 다 채워 놓았는지, 볼 때마다 신기하다. 눈이 왔다고 신나서 폴짝폴짝 뛰어다닐 아이들과 강아지들을 생각하니 웃음이 절로 난다.

눈 오는 어린 시절에 나는 어김없이 뛰어다녔다. 아이들과 눈사람을 만들고, 추운 줄도 모르고 신나게 놀았다. 밤이 되면 그제야 간지러운 손을 보며 동상에 걸린 것을 알았다. 엄마는 벙어리 장갑에다가 노란 콩을 잔뜩 넣어서 손에 장갑을 끼고 잠자면 동상이 나을 거라고 말씀하신다. 아침에 일어나면 온방이 콩 때문에 난리다. 내 손에 있어야 할 장갑은 머리맡에 나뒹굴고 그 안에 있어야 할 노란 콩들은 밤새 부지런히 움직여 여기저기 흩어져 있다. 그야말로 난장판이 된 것이다. 나는 콩을 보고 씩 웃는다.

그리고 방 한구석에 구겨져 있는 노트 한 권과 연필을 보고 멋쩍게 또 한 번 웃는다. 나는 글을 쓰는 것을 좋아한다. 눈이 내리는 것을 보면 아이들은 뛰놀기부터 하는데, 나는 종이와 연필을 찾았다. 눈을 보면서 무언가를 적는다. 대단한 것도 아니고 멋있는 것도 아니다. '눈이 오니 참 좋다.' 몇 마디 말을 적기 위해 부산을 떤 것이다.

어릴 적 시골에서 공부하기는커녕 신나게 놀기만 하던 때 방학은 더 놀 수 있는 시간이었다. 그때 주어지는 숙제 중 가장 큰 비중을 차지하는 것이 일기숙제이다. 일기를 한 달이 아니라 며칠 만에 다 써 버리는 것이 너무나 당연했다. 나 역시도 그렇게 숙제해서 낸다. 하지만 다른 점이 있다. 나는 방학 숙제로써의 일기숙제가 끝났어도 학기 중에 가끔 일기를 쓰는 아이였다. 나의 하루를 정리하고, 문학적인 소질을 위해 무언가를 성실히 열심히 하는 것과는 전혀 거리가 멀다.

그냥 좋아서 글을 썼다. 선생님께서는 방학도 지났는데, 일기를 쓰고 있다고 상을 주셨다. 암튼 나는 글을 쓰는 것을 좋아했다.

그러나 지금의 나는 글 쓰는 일이 굉장히 힘든 일이라는 것을 알게 되었다. 예전에는 미처 깨닫질 못했었다. 좋아서 글을 쓰고, 또는 사람들의 유익을 위해서 어렵지만, 필요한 말을 하기 위해서 글을 썼다. 사명이라고 생각했기 때문에 통과해야 하는 의식처럼 당연하게 받아들였다.

　그러나 지금의 글쓰기는 다른 누군가가 아닌 나를 오롯이 드러내야 하는 일이 글쓰기의 첫걸음이라는 것을 새삼 깨닫게 된다. 공저를 통해서 글을 써보는 것이 처음인 나는 많이 고민하게 되고 어렵게만 느껴진다. 혼자 긁적이는 것도 아니고 일기도 아니고 누군가가 나를 보고 내 글을 본다는 것은 부끄럽고, 또 딱히 보일 것도 없는 것 같아 어색하기 그지없다. 마치 변변하게 음식 준비도 못 하고 잔칫상을 차려놓고서 손님을 부르는 것과 같다. 덕담처럼 '차린 것은 없지만 많이 드세요'라고 하는 것이 아니라 진짜 차린 게 없는 초라한 밥상 같다. 그 잔칫상을 굳이 사람들을 불러서 먹여야 하는 상황에 놓인 격이 되고 말았다.

　가만히 나를 들여다본다. 지금의 나는 무엇을 하고 있는가? 무엇을 원하고 있는가? 앞으로 어떻게 살아갈 것인가? 그동안 어느 정도는 답을 찾았다고 생각했다. 늦은 나이에 제2의 인생진로를 바꿨고, 늦었기 때문에 바삐 움직이며 열심히 살아왔다. 삶의 가치와 목적을 떠올리며 완성도를 높이기 위해 내가 해야 하는 것이 글쓰기라는 것을 어느 날 알게 되었다. 사람들에게 말을 통해 잘 전달하기 위해서는 글을 써야 했다. 그 글이 천편일률적인 글이 아닌 살아 움직이는 것이 되기 위해서는 내 안의 것을 좀 더 잘 표현해야 했다. 나를 들여다보아야 하는 것이다.

나는 어린 시절의 나를 발견했다. 글 쓰는 것을 좋아했던 나, 알지도 못하고 제대로 하지도 못하면서 종이와 연필만 있으면 무언가를 긁적거리던 나. 그런 나를 다시 불러내는 것, 제대로 잘 쓸 수 있도록 도와주는 것, 그리고 하고 싶은 말, 들려주고 싶은 말을 하게 해서 내 안에 나를 바로 세운다. 하지만 연애 초보가 사랑하는 사람을 만나 가슴이 터질 듯 설레지만, 실수를 연발하는 것처럼 나의 글쓰기는 처음이라 어색하고 어설프다. 그런데도 나의 가슴은 여전히 뛴다.

꿈꾸며 세우며

나는 나의 일을 사랑한다. 아침에 잠에서 깨어 눈을 떠 하루를 생각하면 마음이 벅차오른다, 입가에 미소지어진다. 하루 동안 펼쳐질 일들을 생각하며 감사 기도한다. 사랑하는 사람들을 떠올려본다. 그들의 무사 안위를 생각한다. 혹여 아픈 손가락처럼 맘이 갈 때가 있다. 그때 나는 기도하며 절대자에게 맡긴다. 짐을 나눈다. 그리고 기쁨과 행복이 사람 가운데 상황 가운데 깃들이길 소망해본다. 나에 대해 미래에 대해 생각해 본다. 이렇게 은혜를 누리고 행복을 누려도 되나 가슴이 뜨거워진다.

나는 내일을 찾기 위해 돌고 돌아 긴 세월을 보냈다. 처음 대학을 졸업하고 기관에 사회복지사로 취직하여 일을 시작하였다. 꽤 일도 잘하고 적성에 맞아서 빠른 시간 안에 승진도 하며 자리를 잡아갔다. 사람들을 상대하며 상담하고 그들의 안위를 살피는 직업이라 내게는 잘 맞는 일이었다. 물론 내가 단단하고 성숙하게 준비되지 않은 터라 가끔 탈진됨을 느끼기는 했다. 어쩌면 자신을 책임질 수 없는 어린 나이에 남의 안위를 걱정하고 생각한다는 것이 버거운 일일 수도 있었다. 또한 센터의 장을 맡아 일을 해 나가는 것은 추진력과 행정력 등 많은 능력을 필요로 하는일이었다. 지금 생각해보면 별생각 없이 주어진 일에 쉽게 적응해 나가고 준비 없이 일에 묻혀 나갔다. 내가 일을 좋아하는지, 일이 나를 좋아하는지 알 수 없는 노릇이었다.

그렇게 일하다 결혼하여 고향을 떠나게 되어 그 일을 그만두게 되었고 또 다른 일들을 맞이하고 접고 하면서 사회라는 거대한 구덩이에 나를 파묻어나간 것 같다. 누구라도 내게 생각하는 법을 알려주고, 누구라도 인생이 생각한 것보다 만만하지 않고, 내게 펼쳐진 길이 가야 할 길이 꽤 길다는 것을 알려주었더라면, 나는 인생을 낭비하지 않았을 것이다. 사실은 아무리 뛰어난 사람이 와서 내게 이야기를 한들 나는 내 인생에 대해 진지하게 고민하고 받아들이고 하는 일을 별로 잘 해내지 못했을 것이다. 내가 준비되지 않았기 때문이다. 내가 변화해야 하는 이유에 대해 스스로 인식할 수 없었기 때문이다. 그때의 나는 그랬다. 태어났으니까 사는 것이었다. 삶의 가치와 행복에 대해 논하는 것은 철학자들이나 굉장한 학식을 소유한 사람들이 멋들어지게 삶을 이야기하는 것인 줄로 알았다.

그러나 인간이 사람됨을 다시 깨닫고 변화해야 함을 알게 되는 것, 무언가 인식하게 되는 것은 평범한 일상에서는 깨달을 수 없는 것이라는 것을 죽음의 문턱을 넘어서야 알게 되었다. '나는 누구인가? 어디서 왔는가? 지금 무엇을 하고 있는가?'라는 근원적인 질문을 던질 수밖에 없는 상황은 무탈하게 일상을 살아가는 가운데서 알아내기란 쉽지 않다. 삶과 죽음을 넘나드는 고통과 아픔과 처절함이 있을 때 비로써 자신을 되돌아보는 것이 인간이다.

많이 아프고 힘든 죽음이라는 큰 산을 넘고 난 나는 전혀 다른 방향과 색깔로 삶을 바라보게 되었다. 여러 해 동안의 아픔과 고통이 세상을 회색지대로 바꿔 놓고, 땅에 공을 튀기듯 방방 튀어 오르던 밝은 성격은 딱딱하게 굳어버린 시멘트처럼 어떤 것도 공존할 수가 없고 어떤 이야기도 담아낼 수가 없는 사람으로 변해 있었다.

나는 몸도 마음도 아주 많이 아파 있었다. 조금씩 조금씩 시간이 더해지면서 긴 세월 동안 조금씩 조금씩 변해 갔던 것이다. 그 길은 인간 안에 가지고 있는 소망과 희망이라는 씨앗을 길바닥에 아무렇지 않게 다 버려버리는 일과 같은 것이었다. 드디어 희망이라는 씨앗이 한 알도 남아 있지 않을 때 이 땅에 미련이 없어지는 것이다. 결국 삶이 회색에서 한 줄기 빛도 없는 어둠으로 까맣게 바뀌지는 것이다. 지금 생각해도 아찔하다. 그것은 공포 그 자체였다.

하지만 끝나지 않을 것 같던 긴 터널을 나는 무사히 통과해 냈다. 나의 힘과 노력으로는 도저히 할 수 없는 일이 일어난 것이다. 말로는 표현할 수 없는 인식체계들이 어느 날 내게 쏟아졌고, 나는 김효진이고, 사랑받기 위해 태어난 사람이고, 세상은 살아볼 만한 충분한 가치가 있는 곳이며, 내가 생각만 하면 어디에나 파랑새가 노래한다는 것을 알게 되었다. 그것은 단순히 아는 것이 아니라, 내 감정과 인식을 뛰어넘어 사고체계를 뒤흔드는 광풍 같은 것이었다.

나는 다시 숨을 쉬기 시작했다. 그동안 해왔던 여러 일들처럼 단순히 밥벌이하고 즐거움을 얻는 일이 아니라, 다시 살게 된 내 인생에 고마움을 표현하듯, 누군가를 위해 살아가는 일이 내게는 너무나 자연스러운 일이 되었다. 그리고 나는 지금의 일을 하게 되었다.

내가 다시 살아난 것이 나의 힘으로 된 것이 아니듯, 내게 주어진 일 또한 나의 의지로 이루어진 것은 아니었다. 이 일을 하게 된 것도 어느덧 오랜 시간이 흘렀다. 강산이 변하고 여러 날이 지나 싫증도 나고 무력감이 올만도 한데 나는 여전히 가슴이 떨린다. 처음 이 일을 시작하기 위해 준비한 날부터 지금까지 늘 한결같이 나는 설렌다. 원고를 들고 사람들 앞에 서서 내가 들려주고 싶은 이야기를 하기 위해 준비할 때 내 손은 파르르 떨린다. 그리고 한 장 한 장 읽어 내려가면 내 가슴안에서는 뜨거움이 용솟음치고, 내 눈에는 눈물이 차오른다. 나는 매일 매 순간 내 일을 사랑하고 어제보다 나은 오늘을 준비하며 나의 일에 완성도를 높여갈 때 여전히 가슴이 뛴다.

지금을 온전히 살아내려면

알고리즘의 노예에서 벗어나기

기술의 발달은 우리에게 편리함을 가져다 주었다. 이렇게 좋은 콘텐츠들을 손쉽게 얻고, 쉽게 연결될 수 있는 세상이 있었을까. 더불어 구독 경제 시스템은 발 빠르게 우리의 취향과 선호도를 파악해서 관심 콘텐츠들을 먹기 좋게 눈앞에 놓아 준다. 과거에는 신문과 우유에만 그쳤던 구독 서비스는 여러 형태로 확장되었다. 영화, 에세이, 신문 기사나 경제정보, 강의, 책 요약 서비스 등 매우 다양하다. 우리는 저렴하다는 이유로 구독 서비스 몇 개씩은 이용하고 있을 것이다. 나도 현재 두 개의 구독 서비스를 이용하고 있다.

페이스북을 열자마자 좀 전에 클릭했던 아들 운동화 브랜

드와 똑같은 것이 눈앞에 보였을 때 '와 신기해!'하며 착각했던 어떤 날이 떠오른다. 넷플릭스는 고객님의 취향이라고 갖가지 보기 좋은 형태로 제공해 준다. 인스타그램에서도 내가 좀 전에 눈여겨 보았던 콘텐츠들이 계속 보인다. 남편보다도 나를 잘 이해해 주는 것 같은 알고리즘! 참 쉽고도 편한 세상이다.

그러나 어느 순간 잘 정리된 콘텐츠, 손쉽게 요리된 나의 취향 묶음들에 저항감이 올라온다. 왜 그럴까? 곰곰이 생각해 본다. '이 영화가 내 취향이라고?', '난 이 영화 보고 싶지 않은데', '그리고 좀 색다른 거 없어?', '난 새로운 것도 좋은데 말이야.', '그 책 말고 조금 다른 장르의 책은 없을까?' '그 장르라면 이미 난 신물 나게 읽었다고.' 하면서 말이다.

우리는 어느 순간 알고리즘의 노예가 되어 버렸다. 그리고 그 증상은 허무함과 짜증으로 나타나기도 한다. 기술이 인간이 해야 할 일들을 대신해 주다 보니 인간 자신의 힘을 키우는 것에 소홀해진 것이다. 요즘 경제적 자유라는 말이 유행이고 그 삶을 추구하지만, 왜 많은 부자는 다시 자신만의 일터로 돌아와 일하는 것일까. 쉼은 우리 삶의 일부가 될 수 있지만 전부가 될 수는 없기 때문이다. 인간은 일로서 자신을 찾고, 의미를 얻는다. 자신이 주체적으로 선택하지 않았을 때, 신체의 힘, 존재의 힘은 약해진다. 편리하지만 기분이 좋지는 않다. 편한 것이 모두 좋은 것은 아니다. 스스로가 움직이고, 무언가를 만들 때 그 자체로부터 힘을 얻고, 존재 또한 커지는 것이다.

그래서 요즘 선호하는 트렌드 중 하나는 돈이 조금 들더라도 오히려 손으로 만들고, 감성적인 아날로그 공간을 찾아가고, 먹고 만지고 손으로 하는 경험을 가져다주는 것들이다. 인간은 그런 존재다. 스스로 움직여야 존재의 의미를 알 수 있다. 누군가가 제공하는 편리한 서비스를 뒤로하고, 불편할 수도 있는 공간을 찾아가 스스로 생각하고 자기의 감정을 빠짐없이 느끼며 창조적으로 활동하는 훈련을 해야만 사는 존재가 바로 인간이다.

알고리즘을 잘 활용하되, 그것의 노예가 되어서는 안 될 것이다. 『우리는 여전히 삶을 사랑하는가』의 저자 에리히 프롬은 "현대인은 매우 활동적이지만 매우 수동적"이라고 지적한다. 활동성이 그 자신에게서 비롯된 것이 아니라 "바깥에서 지시하고 조종하는 활동성"이라는 것이다. 온갖 알고리즘 굴레에서 나의 취향이라며 가져다주는 보기 좋은 떡밥이 우리를 수동적으로 만든다. 수동적이기에 실제로는 공허하다. 내가 만들어낸 것이 아니기 때문이다. 전례 없는 콘텐츠 맛집으로 인해 배가 부른 듯 하지만, 실제로는 허무함을 느낀다. 내가 이것에 이바지한 것이 전혀 없기 때문이다.

덧붙여 에리히 프롬은 이런 "분주함은 게으름과 같다"라고 꼬집는다. 왜냐하면 "내면 활동성이 결핍"되었기 때문이다. 보이기에는 매우 활동성이 충만한 듯 보이지만, 그것은 강박적이며 내면의 움직임은 빈약할 뿐이다.

SNS 잠시 꺼두기

오래전 일터에서 안식년을 받았었다. 안식년을 부여받았음에도 두 달 동안 나는 무척 힘든 시기를 보냈다. 왜냐하면, 내 몸은 쉬고 있었지만, 누가 시키지 않았음에도 내 뇌와 마음은 끊임없이 일을 재생하고 있었기 때문이다. 오랫동안 시스템 속에서 돌아갔던 일의 패턴이 내 몸에 새겨져 멈출 줄을 몰랐다. 아니 멈추는 방법을 잊어 버렸던 것일까? 후배들은 지금 무엇을 하고 있을까? 지금쯤 이것을 하고 있을 텐데. 일터의 사람들이 모여있는 밴드에 들어가 보고 싶은 욕구를 참아내야 했고, 이전 사람들과 연결된 페이스북을 끊어내는 고통을 겪어야 했다. 쉬는 법을 잊어버렸다. 쉬는 방법을 다시 배워야 했다.

알고리즘도, 조직의 시스템도 '분주함'이라는 가면 속에 숨어 우리의 존재를 서서히 죽일 수 있다. 주도적이고 선택하는 내가 아닌 강박적이고 충동적인 나를 만드는 것이다. 그 속에서 나라는 사람 사람의 숨통은 끊어지고, 내 존재는 고요해질 것이다.

쉼 없이 돌아가는 연결의 시대에 SNS를 잠시 꺼두는 것은 어떨까. 의식적인 노력과 세팅이 필요하다. 하루 5분, 일주일에 하루 이렇게 말이다. 그렇지 않으면 우리 뇌와 손은 교묘하게 만들어놓은 알고리즘에서 헤어나지 못할 것이다. 그렇게 연결이 아닌 오로지 내 존재와의 오프라인 만남은 나를 보듬는 시간이다. 나를 다시 숨 쉬게 하고 나를 살아있게 한다.

속도를 줄이고

'지금'이라는 순간을 온전히 살아가려면 나와의 온전한 대면이 필요하다. 어느 날 TV를 켜고 리모컨 버튼을 만지작거리다가, 각국의 여행 상품을 홍보하는 홈쇼핑에 잠시 머무를 때가 있다. 잘 큐레이션 된 장소와 숙박, 음식, 체험 서비스, 넘치지 않는 기간 그리고 합리적 가격까지 그것을 시청하고 있는 것만으로도 벌써 그곳에 다녀온 기분이다. 현대인들에게 이만한 편리한 여행 서비스는 없을 것이다. 내 노력 하나 들이지 않고 돈과 몸만 있으면 친절한 가이드의 안내와 비행기에 몸을 싣기만 하면 손쉽게 그곳에 닿을 수 있다.

그러나 잠시 생각해 본다. 내가 정하지 않은 여행 장소, 내 속도를 조절할 수 없는 여행 기간, 획일적인 숙박과 음식 일정, 사진 찍다가 다 소비해 버릴 짧은 투어들, 급히 먹은 음식이 체하듯 나는 진정한 경험이라는 것을 하고 올 수는 있을까? '나

이런 곳에 다녀왔어.'라고 SNS에 자랑할 수 있을지언정, 나는 정말 그곳에 다녀온 것일까. 그곳의 풍경과 독특한 그 나라만의 체취, 소리, 감각을 네모난 사진 말고 울퉁불퉁한 내 몸에 진정 담아올 수는 있을까?

온갖 여행 상품, 체험 서비스 등의 빠른 자극이 흥분을 가져다주겠지만, 나에게는 조금은 느린 여행이 필요하다. 그 모든 아름다운 것들이 내 몸을 통과할 시간 말이다. 이를 위해서는 우리 삶에 속도를 줄일 필요가 있다. 늘 줄일 필요는 없다. 그러나 멈추고 싶을 때 멈추지 못하고, 속도만 내야 한다면 언젠가 탈이 나지 않을까. 그래서 나는 내가 속도만 내고 있다는 생각이 들 때는 잠시 멈춰 선다. 그리고 쉼과 여백이 있는 느린 여행, 느슨한 연대, 슬로우 리딩, 느린 걸음을 다시 찾으려 한다. 누구도 나를 압박하지 않는 나만의 공간 속으로.

나만의 숨을 내쉬어봅니다

참 가쁘게 살아왔다. 남자들도 할 말이 많겠지만, 여자의 삶이 이렇게 버겁고 무겁다는 것을 내 어머니는 왜 말해주지 않았던가. 60대 중반을 살고 계신 한 지인은 60이 진짜 좋다고 말씀하신다. 20대는 나만의 열정을 찾고 그 열정에 맞는 준비를 하느라, 30대는 결혼 이후 양육이라는 생애 첫 경험을 하느라, 40대는 직책이 주는 무거운 책임감을 지고 가느라 고되고 힘들었다. 누가 그렇게 살라고 하는 것도 아닌데, 왜 그렇게 쫓기듯이 살았는지 모르겠다.

마흔 후반을 지나고 있는 지금에야 비로소 나만의 숨을 조금이나마 내 쉬고 있다.

"휴우~~!!" '호흡 하나에 숨 한 번'

이것이 왜 이리 어려웠을까. 어른들은 말한다. 불안할 때는 복식 호흡을 하라고. 배 속 깊은 곳으로부터 끌어올린 긴 숨은 경직되어 있던 혈관 구석구석을 마사지하면서 막혀 있던 공기를 순환시키고 온 몸의 긴장을 풀어준다. 숨이 붙어 있지만, 숨을 쉬고 있는지조차 느끼지 못했던 시간. 육아든 일이든 잘 해내지 않으면 안 된다는 강박적인 신념은 자신을 가두는 감옥이 되었다. 누가 시킨 것도 아닌데, 그 문을 안에서 내가 걸어 잠근 것이다.

아이는 나에게 자유로워지라고, 놀아도 된다고, 그저 그런 엄마도 괜찮다고 존재 자체로 사랑하는 법을 매시간 알려주었다. 그런데도 나는 오히려 아이에게 기준과 원칙을 세워 그에 맞는 사람이 되도록 닦달했던 것 같다. 나의 불안과 두려움은 기준과 원칙으로 아이뿐만 아니라 주변인들을 숨 막히게 했을 것이다. 일터에서도 돌아보니 최선과 노력을 빙자한 나를 향한 압박감이 후배들을 여유롭게 품어주지 못하는 상사가 아니었나 싶다. 스스로가 자유롭지 못하고 숨 한번 제대로 쉬지 못하니 내 주위에 있는 사람에게도 그 긴장과 불안이 전달되었을 것이다.

사전을 찾아보면 '숨'은 호흡 때문에 발생하는 공기의 운동이라고 한다. 동시에 인간의 존재를 지지하는 생명력으로 보기도 했다. 또 다른 의미로는 채소 따위의 생생하고 빳빳한 기운을 뜻하기도 한다. 이 말을 뒤집어 본다면, 숨이 막히거나 제대로 쉬지 못하면 존재의 생명력을 상실하게 된다. 숨을 쉬지 못하면 생생하고 빳빳했던 기운이 채소가 흐물거리듯 매가리가 없어지는 것이다.

오늘 하루도 정신없이 살았다면, 멈추는 법을 잊어버렸다면, 공기 빠진 풍선처럼 고무 껍질만 남은 듯하다면, 지금 하던 일을 잠시 멈추고 숨 한번 쉬고 가자! 뱃속 아래 깊은 곳으로부터 숨을 모아 끌어 올려서 깊은 숨을 천천히 내쉬어보는 거다. "휴우~~!!"

쉼표에서 설렘을 되찾다

수많은 광고는 많이 가진 자만이 성공하고 행복하다는 메시지를 주입한다. 저 차를 소유하지 않으면, 저 신상 신발을 신지 않으면, 저 새 아파트를 소유하지 않으면 나는 불행한 것이다. 중간중간 끼어드는 광고는 월 천을 버는 것은 너무나 쉬운 일이며, 내가 그 비법을 단숨에 알려주겠다고 끊임없이 속삭인다. 콘텐츠 사이사이에서 전해오는 수많은 목소리는 우리 자신을 더욱 초라하게 하고, 불안감만 가득 안겨다 준다.

퇴직 후 나는 조직이라는 곳을 떠나 자유로운 몸이 되었다. 묵직하게 주어졌던 여러 책임감을 내려놓게 되었다. 이상하게도 아쉬움이라는 것이 전혀 남아 있지 않았다. 젊을 때 내가 사랑했던 곳이고, 내 애정을 바쳤던 곳이었다. 지친 것도 아니고 상처라는 것도 이제는 나에게 큰 문제가 되지 않았다. 사람이 오가는 곳이니 어찌 상처 하나 없으랴.

22년 함께 했던 곳은 내 시간과 젊음의 열정을 바치는 것이 아깝지 않은 곳이었다. 누군가의 말대로 그곳에서의 생활은 나에게 일과 삶이 하나였다. 한 선배가 "힘들지 않냐?"고 물었다. 그때 나는 "일하는 것이 나에게 놀이이자 휴식이에요."라고 당당하게 선배에게 이야기했던 기억이 있다. 그러나 열정은 변하더라. 일과 삶이 하나였던 내게 어느 순간부터 그 일이 나에게 무거움으로 다가오기 시작했다. 퇴직 몇 년 전부터는 " 언제까지 이 일을 할 수 있을까?"라는 물음과 회의감이 불쑥불쑥 나를 들쑤시곤 했다. 그럴 때면 정신을 때리며 다시 현실에 집중하곤 했다. 그러나 22년의 세월이 흐르면서 사람과 상황은 바뀐다. 그러니 나의 열정이 바뀌는 것도 어쩌면 당연하리라.

퇴직 후 나는 나에게 1년의 안식년을 선포했다. 자그만한 퇴직금으로만 살아도 좋으니 난 나에게 '시간'을 선물하기로 했다. 물을 만난 물고기처럼 모든 시간은 전적으로 내 소관 아래 있었다. 그동안 나를 위해 한 번도 투자하지 않았던 자기 계발비에 몇 백을 쓰기도 했다. 미치도록 책을 읽었고, 누가 돈을 주는 것도 아닌데, 매일 블로그에 기록을 남겼다. 그러다 보면 하루가 금세 지나갔다. 20대에 '일이 놀이'라고 했던 그 삶이 퇴직 후 내겐 독서와 글쓰기로 옮겨진 것이다. 이건 퇴직 전부터 꿈꿨던 삶이다. 22년을 그나마 버틸 수 있었던 힘이 이것이기 때문이다. 어떤 이는 책을 읽으면 잠이 온다고 하고, 글쓰기는 어렵다고 했지만, 체력만 바쳐 준다면 나에겐 온종일 할 수 있는 놀이감이었다. 속도를 늦추고 삶의 쉼표를 찍으니 내 안에 숨죽여있던 열정이 살아나기 시작했다.

숨 쉴 수 있는 공간을 찾아서

"좋아하는 일을 해야 하는가? 잘하는 일을 해야 하는가?"는 아이나 어른 모두에게 주어지는 단골 질문이다. 돈 버는 법에 대해 강의하는 유명한 억대 사업가는 그 질문에 이렇게 답했다. "돈 되는 일을 해야죠." 그리고 나서 "좋아하는 일을 하라."고 말한다. 많은 이들이 고개를 끄덕이며 '아, 그렇구나.'라고 반응했던 것 같다. 그러나 '정말 그럴까?' 나는 도무지 동의가 되지 않는다. 돈이 전부인가? 자본주의 세상에서 돈이 없으면 절대 살아갈 수 없다. 돈은 나와 가족, 세상을 섬기기 위한 좋은 도구다. 우리 삶에 어떤 것도 나쁜 것은 없다. 그러나 이 땅에 태어난 자신의 사명을 무시한 채 수단이 되어야 할 돈이 목적이라면 그게 정말 인간의 삶이란 말인가?

결과 못지않게 과정도 중요하다. 나도 퇴직 후 돈 버는 일을 해 볼까 잠깐 생각했다. 내가 좋아하는 책으로는 그렇게 돈이 될 거 같지 않았다. 그래서 이것은 나만의 취미로 두고, 나의 생계 수단은 다른 것으로 대체해 볼까도 잠시 고민했다. 요즘 트렌디한 디지털, IT, 투자 등의 공부 말이다. 공부하는 것을 좋아하다 보니, 이런 것들을 마음만 먹으면 나는 빠르게 습득할 수 있다. 그러나 이와 관련된 공부를 또 다른 역량을 쌓기 위해서는 할 수 있겠지만, 열정이 없는데 그것을 하자니 '어떻게 하면 되도록 그 시간을 피할까?'를 궁리하는 나를 발견했다. 시작하는 것조차 오랜 시간이 걸렸다. '어떻게 하면 그것을 되도록 하지 않을까?'라는 고민만 머릿 속에 맴돌고 있었다. 그러기를 몇 개월.

그리고 깨달았다. 좋아하는 것을 할 때 그것은 나에게 일이 아니었다. 그냥 내 존재였다. 내가 태어난 이유가 거기에 담겨 있었다. 존재와 일이 하나가 되니 몰입은 저절로 되었다. 똑같은 시간이라도 더욱 압축적으로 활용할 수 있었다. 하루가 금방 흘렀다. 오늘도 새벽 5시! 독서방에서 사람들과 1~2시간 독서를 했다. 독서를 한 후, 블로그와 인스타를 열어 오전에 인풋한 것들을 기록해 둔다. 그러다 보면, 아침 시간이 훌쩍 지난다. 몇몇 처리해야 할 은행 업무가 급하게 생겨, 외출을 했다. 갔다오니 점심이다. 독감으로 집에 있는 아들 점심을 챙겨 주고, 내년에 해야 할 몇 가지 일들을 즐거운 마음으로 상상하며 기획해 보는 시간을 보냈다. 누가 시키지도 않은 일들이다. 그저 내가 좋아하고 가슴 뛰게 할 수 있는 일들이다. 해 왔던 일들도 있고 새롭게 시작하고픈 일도 있다. 몇 시간을 이런저런 생각과 일 처리로 집중하다 보니, 몸이 피곤한데도 피곤한 줄 모른다. 중간중간 생각한다. '나 이렇게 즐거워도 되는 건가?', '나 이렇게 매 순간 설레도 되는 건가?' 하고 말이다. 내가 만약 돈이 되는 일만을 선택했던 이렇게 몰입할 수 있었을까? 그 사람들은 나에게 이렇게 말할 것이다. '돈을 안 벌어봐서 그렇다고.'

지금 이 글을 순간도, 내가 모집한 공저클래스에 신청한 이들과 함께 글을 쓰고 있다. 한 분이 막상 글을 쓰려고 공저클래스에 지원했지만, 자신을 노출하는 것에 대한 두려워하셨다. 그래서 글방을 열기 20여 분 정도 일찍 들어오시라고 해 놓고, 경청하며 격려를 해 드렸다. 나 또한 그런 경험이 있었기 때문에 그 마음을 알고, 힘껏 격려해 드릴 수 있었다. 이렇게 글로 인해 고민하고 함께 대화 나눌 수 있는 것 또한 나에게 설레는 순간이다.

사실 어제 쓴 글이 저장 버튼을 제대로 안 눌러서 다 날아가 버렸다. 근데 어제 무엇을 썼는지 전혀 기억이 나지 않는다. 보통 어렴풋이라도 기억이 나는데 어쩐 일인지 감감무소식이다. 잠시 머뭇거렸지만, 정신을 부여잡고, 손이 가는 대로 한 단어씩 끄적거려 본다. 한 단어가 또 다른 단어를 불러온다. 그렇게 만들어진 한 문장 속에 담긴 생각이 이어져 또 다른 문장으로 이어진다. 어제 글 내용이 기억나지 않지만, 어제와 다른 이야기를 적고 있는 것은 분명하다. 모든 육체와 정신노동을 멈추고 곰곰이 내 생각과 감정을 들여다본다. 지친 존재를 보듬고 문장을 만들어가는 이 순간이 나에게 다시 깊은 숨을 쉬는 시간이며 깊은 곳 설렘임을 회복하는 시간이다.

사랑하는 사람

마음 설렘을 느낀 적이 있는가? 오십을 지나며 설렘의 순간이 많았다고 생각하였으나 지금 그 기억을 더듬어 보아도 얼른 생각이 나지 않는다. 제일 먼저 생각나는 건 세계를 패닉상태로 빠뜨린 코로나19이다. 나 또한 매우 아파서 상담 선생님을 매주 만나야 했다. 현재 뭐가 제일 힘든지, 과거에는 어땠는지, 그 상황 속에서 내가 했던 생각과 행동은 어떠했는지 괴롭지만 하나하나 이야기해야 했다. 3개월이 넘는 상담 후에도 나에게 남아 있는 것은 '물음표'였다. 소망하던 것들이 생각과 다르게 현실로 나타났을 때 놀람, 실망, 답답함을 안겨 주었기 때문이다.

하지만, 이 또한 지나가리라 일상을 살아내 보자 하는 마음으로 2년을 보냈다. 썩 만족스럽지 않은 가운데, 올해는 새벽

5시에 온라인대학인 MKYU의 '514챌린지'에 도전했다. 매달 완주하겠다고 다짐하며 분주하게 살았다. 글쓰기를 하다가 내게 설렘을 주었던 것이 무엇인지 생각해 본다. 왜 이다지도 생각이 나지 않을까? 그건 부정하고 싶은 과거를 지우려다 보니 그 고운 기억들마저 사라져버린 것이다. 어린 시절 나와 함께 많은 시간을 보냈던 사랑하는 사람들과 대부분의 학교생활, 애증의 학교가 생각난다. 즐거웠던 추억보다 잊어버리고 싶은 마음이 곱절인 옛일과 현재 직장에서의 절망의 시간, 코로나로 인한 단절이 마음 가득하다. 또 하나의 희망을 품어보기 위해 지난날을 되돌아보며 기억을 꺼내어 본다.

맨 처음 생각난 설렘의 단어는 '언니', '엄마'이다. 왜 가족이 떠올랐을까? 어린 시절에 내 마음을 온통 차지하고 있었고, 곱고도 짠한 언니이고, 아낌없는 사랑을 내게 주신 엄마이다. 온 세상의 중심인 엄마가 계시지 않는 1년여 동안 나는 다짐했었다. 이제는 내 삶을 내가 오롯이 끌고 가야 한다. 어린 마음을 하나씩 떨구는 중이었다.

'언니', 곱디고운 내 언니다. 11살 차이가 나서 내가 뭐 좀 알려 하던 초등학교 1학년이 되었을 때는 언니는 벌써 고등학생이 되어 있었다. 타지에 공부하러 가서 언니를 볼 수 있었던 것은 주말, 그것도 격주 정도였다. 집에서 조금만 걸어 나가면 기찻길이 있다. 좀 더 걸어 15분이 지나면 기차역이 나온다. 지금은 간이역이라 역무원도 없는 곳이다. 기찻길을 걸어 다니면 위험하다고 하지만 우리 마을에서 모든 길은 기찻길로 통한다. 학교도 시장도 기차역도 기찻길이 지금의 인도나 마찬가지다. 주말이면 기찻길이 보이는 곳으로 나가 본다. 기차가 지나가고 언니가 올 시간을 재본다. 먼발치에 단아한 교복 차림의 하얀 빵모자를 쓰고 걸어오는 사람은 당연히 언니다. 걸음걸이, 아주 멀리 보이는 실루엣만으로도 충분히 내 언니임을 알 정도이다.

언니가 집에 오는 날이면 세상 환해진다. 여름이면 사이사이 허름해진 울타리 사이로 들려오는 언니 발걸음 소리마저 알아맞힐 정도이다. 언니 손잡고 동네로, 시장으로, 언니 친구네 집으로, 벼와 보리가 자라는 논둑길을 걷는다. 어린 마음에 그저 즐거워 폴짝폴짝 뛰면서 쫄쫄 따라다닌다. 언니가 빨래하러 가면 갸웃갸웃. '다 빨았나?, 언제 빨래 널러 가려나?' 언니가 아궁이에 불 지피고 있으면 기웃기웃. 언니가 청소라도 하고 있으면 옆에서 같이 하는 시늉도 하고, 밥을 차리면 숟가락, 젓가락도 놓아 본다. 따라쟁이 막냇동생을 보며 환하게 웃어주는 언니가 제일 좋다.

길을 가다 만난 동네 어른들, 언니 친구, 오빠 친구들, 언니에게는 남동생인 오빠 친구들, 하나같이 주말이면 언니 왔는지 내게 묻는다. 난 매번 답하느라 지쳐 뾰로통하기 일쑤, 휙 하니 돌아서 집으로 들어오곤 한다. 언니는 공부하면 책도 읽어주고 그림도 그려주고 연필도 깎아주고 책가방도 한번 봐주고 영화도 보여주고 짜장면도 사주고 언니는 천사였다.

내 엄마는 날 '강아지'라고 부르시는 딸 바보이다. 엄마는 딸들을 유독 예뻐하신다. 오빠들 사이에 난 막내로 태어나 무덤덤한 오빠들의 동생 사랑은 못 느껴 봤는데, 언니와 엄마의 사랑은 아주 많이 받았다. 정말 과분할 정도로. 언니는 매번 나의 일상을 꿰뚫고 있어서 조금이라도 핑계를 댈라치면 호되게 야단을 맞았다. 좋으면서도 무서운 언니, 그런 언니가 내가 고등학교 때 시집을 갔다. 서운한 마음이 앞섰다. 언니는 나의 공부를, 엄마는 나에게 무한 사랑을 주셨다. 지금 생각해 보니, 참, 과한 관심과 사랑을 받은 듯하다.

난 시골에서 한창 모심기 바쁜 철에 태어났다고 엄마는 말씀하신다. "아 딸이구나!" 하는 순간 정말 기뻤다고 예쁜 아이가 태어나 너무 좋았다고 하신다. 비가 와서 모심기도 쉬는 어느 날 나는 태어났다. 그 전날까지 무거운 배를 안고 허리 숙여 가며 모심었을 고된 엄마가 생각나지만, 엄마는 늘 "네가 그날 태어나서 좋았다."라고 하셨다. 비가 많이 오는 날이라 모심지 않고 찬거리는 동네 사람들이 다 같이 나눠 먹었다고 하신다. 엄마는 매년 생일날이면 내가 비 오는 날 축복 속에 태어났음을 상기시켜 주셨다.

엄마는 몇 해 편찮으시다 작년에 돌아가셨다. 엄마는 야윈 손으로 내 곱슬머리를 귀 뒤로 꽂아주셨다. 너무 슬퍼서 눈물도 제대로 흘리지 못하고 보내드렸다. 그저 또 언젠가 만날 수 있으리라는 소원으로 대신했다.

내가 아는 엄마의 손은 무척 매듭이 굵고 거칠었다. 손톱은 늘 깨끗하지 못했다. 논일, 밭일하면 흙이 손톱 사이에 깊숙이 박히고 잘 씻어도 거무죽죽하게 얼룩져 있었다. 농사철이면 더 심하고 겨울이면 좀 나아졌다. 하지만, 어린 나는 그 손이 너무 좋았다.

여름밤이면 하늘의 별은 유독 더 빛난다. 더위를 피해 마을 어귀를 나서면 시야가 트인다. "아이고, 바람이 시원하다!" 하시며 뒷짐 지고 걸어가는 엄마의 손가락 한 개만 붙잡는다. 논가 어디에서 개굴개굴 울어대는 개구리의 힘찬 소리를 들으며 엄마와 나란히 걸으면 세상 부러울 게 없다.

머리에 새참 거리를 잔뜩 이고서도 엄마는 나의 손을 잡아주신다. 논에 찬거리를 내어 갈 때는 무척 분주하시다. 나보다도 훨씬 빠른 걸음이고, 난 잰걸음으로 경보하듯 따라간다. 그런 나를 엄마는 손을 내주며 내 손을 잡아주신다. 홀짝홀짝 뛰며 따라가다 보면 이내 논이 나오고 바삐 움직이는 동네 어른들을 볼 수 있다. 하나같이 "아가, 왔냐!" 하시며 반겨주시고, 찬거리를 같이 먹는다. 더 먹고 싶을 정도로 정말 맛있다. 하지만 이내 일이 시작되니, 급히 숟가락을 놓아야 한다.

내 나이가 많이 먹어 어른이 되어도 나의 어머니를 "엄마"라고 부르고 싶다. 엄마는 팔순이 훌쩍 넘으셨고, 내가 보는 엄마는 절대 할머니가 아닌 어린 시절에 내 눈에 가득 담아 두었던 젊고 생기 가득한 엄마의 얼굴이다. 힘든 병마와 싸우는 엄마는 마른 장작처럼 야위어 갔다.

젊은 시절, 파마하는 날이면 짧아진 시골 아줌마 곱슬머리 파마를 연신 거울로 보신다. "너무 짧지?" 하면서도 못내 "예뻐!"라는 말을 듣고 싶어 하시고, 장날에 옷 하나 사려면 마르고 닳도록 만져보시다 알록달록한 몸빼바지와 꽃무늬 셔츠를 번갈아 입어보신다. 급기야 내게도 입혀 보시고 한없이 웃고만 계신다. 똑같은 옷인데, 입는 사람이 바뀌면 정말 분위기가 너무 다르다. 난 노랑, 초록, 무채색이 잘 어울리고, 엄마나 분홍색, 선명한 색이 잘 어울렸다. 그렇게 나는 초등 시절부터 고등학생, 결혼하고서 아이 엄마가 되도록 엄마의 옷을 입어보고 한 바퀴 빙 돌아 보이며 괜찮은지 답해준다. 그렇지만 늘 답은 정해져 있다. 내 의견을 믿는지 안 믿는지. 모를 소리만 하시고는 정작 옷은 안 보고 어수룩하게 엄마 옷을 입고 어색해하는 날 보고 함박웃음을 지어 보이신다.

엄마 눈에 마냥 어리기만 한 막내딸이 엄마가 되어 아이들이 올망졸망 따라나설 때도 배시시 웃음 지으신다. "아이들 잘 돼라, 잘 키워라." 말씀하신다. 엄마는 나의 우상이셨다. 사랑을 잔뜩 끌어 안고서 내게 퍼다 부어도 또 한 아름 가지고 계셨다. 엄마의 자리는 나의 모든 기억에서 느껴진다. 내가 아이들에게도 내 엄마와 같은 존재가 되는 걸까?

오늘도 버티며 살아가는 중입니다

'죽고 싶냐? 살고 싶냐?' 주먹의 세계를 다룬 영화를 보다 보면 투박한 질문이 먼저 떠오릅니다. 저는 이런 대사가 쉬이 넘어가 지지 않습니다. 가끔은 제가 너무 나약한 존재여서 이렇게 '살고 싶냐, 죽고 싶냐?'를 논하는 건 아닐까? 생각해 봅니다.

보통 사람들은 '술을 먹고 싶다.' 아니면 '여행을 가고 싶다.', 아니면 '실컷 게임이나 하고 싶다.', 아니면 '친구 만나 수다나 떨까?' 하며 고민을 떨쳐 버리려고 하는데, 전 늘 삶과 죽음의 경계에 있습니다. '쉬운 생은 없다. 내 생은 그리 어렵지 않은 생이다.' 맨날 되짚어 새겨보지만 왜 이리도 롤러코스터를 타는지 모르겠습니다.

밑바닥이 뭔지 아세요? 그만 살고 싶다는 것입니다. 다음은 뭐가 떠오르는지 아세요? 결혼 전에는 '슬퍼할 엄마는 어쩌고?'라는 생각이 들고, 지금은 '애들은 어쩌고?'라는 것입니다. 그리고 또 이어집니다. '그럼, 네가 엄청 이상하게 생기길 했니?, 어디가 매우 아파서 사는 게 너무 힘들어? 아니면 살 집이 없어?, 아니면, 다닐 직장이 없어?, 아니면, 집이 더럽다고 뭐라 하는 사람이 있나? 아니면, 당장 사채업자가 와서 가진 것 다 내놓으래?, 아니면, 천재지변이 일어나 눈앞에 있는 집이 사라졌어?'라며 오만 것들이 나타납니다. 결국은 '나는 잘살고 있다.'라는 걸 알 수 있어요. 근데, "왜 너는 자꾸 죽고 싶다고 생각하니?"라고 물으면 전 모르겠어요. 가끔 불쑥 이유 없이 나타나서 괴롭습니다. 물론 잠재된 이유는 있겠으나, 나에게 찾아오는 불청객, 삶의 허무감입니다.

'죽을 맛이야!', 사람들은 그 죽을 맛 이야기를 어느 정도일 때 말할 수 있는 걸까요? 전 죽을 맛이야 라는 개념으로 생의 막다른 곳을 느끼고 나서 원래의 자리인 현재로 오는 것 같습니다. 저의 내면에 자리 잡은 부정적인 이런 생각들이 남들도 있는지 진지하게 묻고 싶습니다. 저만 그런 걸까요? 전 하는 일만 잘 되면 별로 투덜거리지 않는 사람인 것 같아요. 근데, 하는 일이 잘 안되는 현재 상황이 정말 재미가 없습니다.

오늘은 일찍부터 집 밖으로 나갔습니다. 아침에 은행 가서 피싱으로 정지되었던 통장을 부활시켰어요. 세상에 내가 피싱에 걸려들지 꿈에도 생각도 못 했어요. 내가 사람을 너무 믿나 라는 의심도 해봅니다. 그런 후에 제가 좋아하는 서점에 갔어 요. 사실 제 가방 속에는 이미 오늘 읽을 책 하나가 들어있었죠. 근데, 서점에 도착하니 새 책을 보고 싶은 거예요. 음, 공자에 관한 책, 인사동 여행, 이병률 작가의 "끌림", 그리고 영어표현 책, 영어 왜 잘 안되는지에 관한 책을 들고 창가 쪽 자리에 앉았 습니다.

누가 보면 엄청 책을 좋아하는 줄 알겠죠. 절대 아니라는 사 실입니다. 중학교, 고등학교 때에 도서관에서 책을 빌리면 선 생님이 체크 하니까 보여주기식의 책 빌림이라 대부분 반이나 읽다가 다시 돌려주곤 했어요. 그저 도서 대출증에 목록 한 줄 을 더 쓰고 싶어서였습니다. 고등학교 시절 까다롭지 않은 수 업 중에 친구들은 책 안쪽으로 하이틴소설을 겹쳐 읽고, 그해 유명한 소설을 책상 밑에 펼쳐서 읽는 책벌레도 있었습니다. 전 자신이 없어서 손도 마음도 그렇게는 못 했습니다. 게다가 수업도 집중 못 하고 교과서, 참고서, 시험에 절어 근근이 일정 을 맞춰 지내는 학생이었답니다.

대학에서는 그나마 내 시간이 있으니, 정말 책을 읽어야 한 다 생각했으나, 그도 교과 과정과 별도로 자격증을 공부하는 학원 다니느라 간단한 에세이 정도 읽었어요. 몇 권 안 되는 책 이 책장에 꽂혀 있었을 뿐입니다. 룸메이트가 책장과 저를 번 갈아 보다가 하는 말은 이상한 책만 가지고 있다는 것입니다.

지금 떠오르는 당시의 책은 〈나는 다만하고싶지 않은 일을 하지 않을 뿐이다〉, 〈참을 수 없는 존재의 가벼움〉 입니다. 뭐 딱 봐도 이 친구는 뭐 답답한 일이 있나 보다 생각할 만하죠. 사실 제 대학 시절의 관심은 어떻게 아버지를 이길 것인가였습니다.

정말 하고 싶지 않은 이야기는 내 고등학교 시절 3년입니다. 가난한 시골 살림, 어린 고모, 삼촌, 줄줄이 육 남매를 책임지는 아버지, 농사에는 능하지 않아 그 또한 힘드신 삶이었고, 어쩌다 보니 장남이었고, 아버지였으며, 매사가 원하는 것을 해 볼 수 없는 삶이셨죠. 그래도 내 아버지만큼은 날 밀어주실 거로 생각했습니다. 중학교 3학년 말에 고등학교 원서를 써야 하는 순간이 되었습니다. 아버지는 내가 도시학교에 가고 싶다는 걸 알고 계셨습니다. 하지만, 학교 지원서를 제출하는 마지막 날까지 아버지 도장을 내어 주시지 않았어요. 그날 종일 울었습니다. 선생님 앞에서도 울고 하굣길에서도 울었어요. 내일모레가 추석인데, 엄마가 학교 끝나고 사 오라고 한 밀가루를 사면서도 울었어요. 슈퍼 주인아주머니가 돈을 내어 주며 "이 좋은 날 왜 울어?"라고 물어보시더라고요. 대답도 못 하고 슈퍼를 나왔어요. 추석 연휴라고 서울에서 직장 다니는 내가 정말 좋아하는 하나뿐인 언니가 왔는데도 저는 눈물만 흘리고 있었어요.

그 후로 전 급격히 변해 갔습니다. 즐거움이 사라졌어요. 학교 가도 즐겁지 않고, 맛있는 음식을 보아도 먹고 싶지 않고, 왜 나만 이래야 하는 건지, 왜 하고 싶어도 할 수가 없는 건지. 원망하며 반년이 지난 후 가방만 메고 터덜터덜 다니던 시골 고등학교를 그만두게 되었어요. 다음 해에 버스로 1시간 거리의 작은 도시학교로 다시 진학했고, 이후 3년은 지옥처럼 살았답니다.

이유는 말하고 싶지 않지만, 또 알면 이해가 될 듯하니, 굳이 이야기하자면 아버지의 무관심이었어요. 전 투명 인간이었네요. 아버지는 제가 주말에 집에 가면 인사도 안 받으시고, 같은 밥상에서 밥을 먹어도 눈길 한번 안 주셨습니다. 학교 간다고 하면 "다녀와라.", 집에 오면 "왔냐?"라는 평범한 일상의 말을 단 한 번도 아버지에게서 들어보지 못했습니다.

이런 날의 연속에서 감수성의 끝인 고등학생이 겪는 처절함을 상상하실 수 있나요? 겪어보지 않으면 몰라요. 겪을 필요도 없고요. 전 1학년, 2학년, 3학년을 지나면서 살면 뭐 하는지 진지하게 묻기 시작했어요. 학교 가서도 집중이 어렵고, 겨우 선생님 말씀을 따라가는 정도였습니다. 어찌 되었든지 대학 입학 시험은 치렀네요. 그 상황에서 항상 엄마의 보살핌이 있었기에 그 긴 3년이 마지막 시험까지 이어졌습니다. 기대하지 않았지만, 대학은 합격했습니다.

대학교부터는 대반격이 시작되었습니다. 아버지에 대한 복수인 거죠. 난 독립할 것이고 난 아버지를 보지 않을 것이며 난 아버지와 상관없는 사람이다. 이 세상에 이런 아버지는 없다. 아버지께서 저에 대해 어떻게 생각하셨는지 알 길은 없으나, 학비도 기숙사비도 내주셨습니다. 이만하면 아버지께서 뭔가 달라지셨다는 걸 알 수도 있었지만 이미 소중한 시간은 아버지에 대한 미움과 세상에 대한 회의감으로 얼룩져 버렸죠.

한편, 직장생활을 하면서 감정이 많이 누그러졌습니다. 주변 사람들의 다독이는 말들이 도움이 되었어요. 하지만 한 번도 아버지에게 그때의 제 마음을 표현한 적 없었어요. 작년에 엄마의 돌아가심으로 우리 가족이 얼마나 아버지를 원망하는지 알게 되었어요. 육 남매는 아버지의 무관심과 표현 없으심에 모두 상처를 안고 살아왔더군요. 그나마 제가 나은 것 같았어요. 어렸을 때 아버지께서 술 드시는 날이면 막내라서 저를 안아도 주시고 까칠한 수염으로 제 볼을 비비기도 하셨어요. 따가워서 아버지의 품에서 재빨리 빠져나오곤 했죠.

그런데, 고등학교 3년이 침묵의 시간이 되어 버렸어요. 얼마나 무서웠는지 상상하기 힘들 겁니다. 그 전의 모든 기억을 지울 만큼 강했던 것 같아요. 하여튼 하고 싶지 않은 이야기이지만 지금은 글로 표현할 정도로 마음의 짐은 덜어졌습니다. 이제 과거는 과거의 일로 둬야겠지요. 저도 더 이상의 미움보다는 성숙하게 성장할 때가 되었다고 생각합니다.

하여튼 오늘 서점에서의 책 고름은 제가 하고 싶은 것들이다 있었어요. 공자처럼 초연해지고 가치를 볼 줄 아는 사람이 되고 싶다. 아니면 그런 사람이 옆에 많이 있었으면 좋겠다. 여행에 관한 책 "끌림", "인사동 이야기"를 보면서 여행 가고 싶구나, 자세히 보지 않아도 좋은 여행을 하고 싶다고 생각했습니다. 또한, 영어책을 뒤적거리며 지식의 받아들임의 자유를 얻고 싶었습니다. 어려서부터 말이 없는 관계로 주절주절 말을 많이 하며 빨리 늘 수 있는 영어 학습이 되지 않았어요. 끈기도 부족한 것 같고요. 그래서 영어는 왜 잘 안되는지에 대한 책을 또 한 번 보게 되었습니다.

점심이 되어 배가 고팠어요. 편의점에서 김밥과 컵라면을 골라 후딱 먹고서 바나나 우유를 먹을까 잠시 고민하다 그냥 문을 나섰습니다. 서점에 되돌아와 제 책이 놓여있는 자리에 앉습니다. 이내 나의 시선은 여행에 관한 책으로 끌려갑니다. 2013년에 제가 지금까지 제일 행복하게 다녔던 직장을 그만두었어요. 육아와 직장생활은 둘 다 충실하기 어려우니, 하나만 하자라고 생각했습니다.

하여튼 10여 년 열심히 살아온 보상으로 6박 7일의 짧은 산티아고 순례길을 다녀왔습니다. 거기서 알게 된 여행과 골프를 좋아하는 언니가 알려준 "끌림"이란 책을 여행에서 돌아오자마자 읽었습니다. 허무한 마음을 달래주는 선명한 사진과 간결한 시적 표현을 담고 있는 글입니다. 제가 마치 서점에 앉아서도 여행을 다니고 다른 나라 사람을 마주하며 색다르고도 낯선 문화를 접하는 신비감이 느껴집니다. '아! 나도 가고 싶다' 근데, '그 뜨거운 날과 나의 길치 감각을 이겨내며 이 여행을 해낼 수 있을까?'라는 의문이 겹칩니다.

오늘은 '많이 즐겼다. 이만하면 됐다.'라고 생각하며 책을 원래 있었던 곳에 놓고 집으로 향했습니다. 그거 아십니까? 나만의 여행을 진하게 했다고 느끼는 충만함을. 절대 과하므로 빠질 수 없는 나의 즐김, 전 이런 즐김을 사랑합니다. 저는 가끔 저의 상상이 실현되면 가끔 과함도 있겠다고 생각합니다. 상상은 한계가 없으니까 가끔 지나침도 있을 수 있기 때문입니다.

아 참! 저는 언제든지 "끌림"을 볼 수가 있습니다. 제가 당시 샀던 책, "끌림"은 현재 직장 카페에 기증되어 있습니다. 전 언제든지 그 카페에 가서 제 책을 볼 수 있어요. 제 분신을 카페에 심어놓았다는 잔잔한 기쁨과 은밀한 탐정이 된 것 같은 희열을 느낍니다.

오늘도 저는 무채색인 하늘과 눈싸움을 했습니다. 서점 창가에 앉은 유리창 너머에 펼쳐진 건물들, 그리고 그 너머로 보이는 하늘빛과의 싸움. 겨울만 되면 더 눈에 보이는 이 광경들입니다. 현시대의 편리함을 알고 이용하면서도 회색빛의 건물과 선명하지 않은 흐린 날의 하늘을 무지 싫어합니다.

좋아하는 건 농촌에서 흔히 보는 초록빛의 보리, 모심어 놓은 가지런한 논에서 바람결 따라 흐르는 초록 물결, 길가에서

청개구리가 숨어 있다가 금방 튀어나올 것 같은 이름 모르는 풀이 보여주는 풀빛을 사랑합니다. 또래보다는 늦게 입학한 대학을 막 졸업하고 직장 따라 무작정 상경했습니다. 서울의 색은 제가 가히 버티기 어려운 색깔이었습니다. 4년을 버티다 다시 직장 따라 시골과 대도시의 중간의 시골스러운 도시에 자리 잡아 살게 되었습니다.

20여 년의 세월을 이 보금자리에서 아이들과 지내고 있습니다. 내 삶의 가치를 느끼게 하고 성장하고 나의 흔적이 있는 곳이어서 애정이 갑니다. 이제는 공간의 빈약함을 느끼는 집이지만 쉽사리 뜨지 못하고 그간의 일상들을 모아 어떻게 꾸려나갈지 고민 중입니다. 이렇게 오늘도 제 삶을 버티며 살아가는 중입니다.

크리스마스 선물

오늘은 성탄절이다. 어제 오전만 해도 날짜를 잊고 전화에서 들려오는 "메리 크리스마스!"를 무심히 들었다. 필라테스 하러 갔다가 선생님이 "메리 크리스마스! 안녕히 가세요?" 하는 말에 깜짝 놀라 "도대체 크리스마스가 언제예요?" 난 어리둥절하며 물었다. 선생님은 "오늘은 24일, 그러니 내일 일요일 크리스마스입니다. 메리 크리스마스!" 아주 상냥하게 설명해주고 인사로 마무리한다. 난 잠시 눈을 껌뻑거리며 '아 그렇구나!' 하고 엘리베이터를 타고 1층으로 향했다. 오늘 아침에는 멀리에 사시는 애들 고모에게서 국제전화로 "메리 크리스마스" 인사를 받았다. 또 한 번 '아 그렇구나!' 속으로 속삭인다.

작은 아이만 어제 교회 크리스마스이브 축제에 다녀오고, 아침에 부스럭거리는 소리는 나지만 각자의 방에서 나오지 않고 아침도 거르고 우리 가족은 일요일 아침의 고요함을 즐기고 있다. 어제는 영화 〈아바타 2〉를 봤다. 인제 보니 크리스마스라 남편이 같이 보자고 한 것 같다. 크리스마스라고 굳이 언급하지 않아서 여기저기서 외치는 소리에도 난 무감각했다.

왜일까? 올해가 가는 게 너무 아쉬워서이다. 시간을 붙들고 싶고 뭐라도 하나 해 놔야 새해를 맞이할 것만 같다. 그러다 어제 본 영화를 다시 떠올려 본다. 영화 〈아바타〉를 본 후, '벌써 13년이 지났다고! 엊그제 본 것만 같은데, 세월이 참 빠르다.' 영화는 어제 본 드라마의 2편을 보는 듯했다. 3시간이 넘는 영화이다. 허리를 요리조리 움직여보기도 하고, 다리를 오른쪽으로 꼬았다 왼쪽으로 꼬았다가 하며 견뎌내야 했다. 내가 좋아하는 영화임은 틀림없어서 영화가 끝나고도 계속 보고 싶다고 생각했다. 차기 계획된 영화는 9시간이나 상영된다고 하는데 무척 기대된다. 식음을 전폐하고 봐야 하나? 한순간도 그냥 넘어가고 싶지 않다. 화장실 갈 시간도 놓치기 싫다.

내 삶이, 내가 하고 싶은 것이 내가 진정 사랑한 것이라면 어디가 아파도, 오랜 시간 지루하게 이어진다 해도 얼마나 즐거울까 생각해 본다. 그 순간만큼은 아프지도 않고 지루하지도 않을 것 같다. 올 한해 정말 몸부림을 쳤던 것 같다. 이렇게 계속 지내고 싶지 않다는 마음에 1월이 지나고 있었다.

1월에 온라인대학인 '514 챌린지' 신청 기간이 지난 걸 알고 정말 아쉬워했다. '느림보 거북이!, 아~ 2월 신청은 놓치지 않으리라.' 다짐했다. '앗! 그런데, 2월 1일 설날이네. 세상에 시댁 형님 집에 가서 참여해야 한다니!' 나는 새벽에 다들 자고 있어서 불빛이 샐까 봐 이불 속에서 조심히 휴대전화로 챌린지 첫날을 시작했다.

새벽 5시라는 게 쉽지 않다. 알람을 듣지만, 몸이 일어나지 않는다. 겨우 휴대전화를 붙잡고 눈을 뜨고 있지만 눈을 나도 모르게 감으면 10분, 30분 그냥 지나간다. 들쑥날쑥 어떤 날은 '그래 그럴 수도 있지, 내일 들으면 돼' 다독이다가도 또 반복되는 순간에 '안 되겠다. 절망이다.'라는 생각이 반복된다. 6개월이라는 시간이 지나니 겨우 내가 온라인대학의 진정한 참여자가 된 것만 같았다. 9월이 되어서야 매일 일어나는 데 성공하고, 10월에는 그도 부족해서 4시 30분에, 가끔은 4시에 일어나 있었다. 나만의 시간을 가질 수 있다는 기쁨이 무엇보다 커서 낮에 몰려오는 졸음이 오히려 기쁘게 느껴졌다.

5월부터 시작한 '미라클 Q&A' 줌 미팅은 참여한 멤버들의 의지로 서로를 보듬어주는 시간이었다. 이후 북클럽으로 이어지고 가장 큰 과제인 내 삶의 사명을 찾아보기로 했다. 한해 그리고 몇 년 후의 목표 찾기보다 훨씬 어려운 일이었다. '내가 진정 뭘 원하는 걸까? 그 방향의 끝은 무엇일까?' 생각 끝에 '나의 성장을 통해 다른 사람의 성장을 돕는다.'라고 적어본다. '그럼 내 성장이 없으면 정말로 다른 사람을 돕지 않아도, 못해도 되는 건가? 그럼 내 성장은 어떻게 해야 하는 건데?' 생각은 한없다. 어려서부터 무언가 잃어버린 나, 나의 자존감의 바닥을 애써 모르는 체했다. 그러면서도 직장을 찾아 독립하고 내 가정을 꾸리고 가정을 보호하기 위한 끊임없이 움직였다. 때론 만족스러웠지만 어느 순간 나의 직장에서의 자존감은 여실히 드러나고 말았다. 외부 환경이 나를 짓누를 때 내가 가진 자존감의 크기로 인해 현 상황이 되어버렸는지 의심도 했다.

이렇게까지 무너지는가 싶어서 너무나 괴로웠다. 그래도 지금 버티며 5년을 지나고 있다. 엄청 후회스럽고 괴롭지만, 직장에서 결정된 것들이 내 잘못이 아니기에 참아내고 있다. 반면에 왜 이런 경우가 내게 오는 걸까 자주 생각하게 되었다. 10여 년 전 직장을 잠시 쉬는 기간에 마음만 앞설 뿐 무엇을 해야 할지 잘 모르고 있었다. 고민하다가 그간의 일의 연장선으로 대학원에 들어갔는데 생각보다 쉽지 않았다.

이과생의 실험실 생활은 어린아이가 있는 나에게는 버거워 결국 저녁 시간은 집에 가 아이를 돌보기로 했고, 보통의 대학원 생활보다 길게 3년을 채워 졸업했다. 그리고 관련 직장을 다시 갖게 되었으나 전공으로 보면 늦게 학교를 선택했고 시간상으로 너무 돌아와 버렸다는 걸 느끼게 되었다.

대학 시절과 졸업 후는 경제적인 어려움을 안고 하는 공부보다는 빨리 독립하겠다고 발버둥을 쳤다. 작은 규모의 회사에서 직장생활을 시작한 후 5년 만에 경제적으로 독립했다. 가끔 내가 원하는 일인 걸까? 라는 의문은 계속되고 있었지만 애써 생각하고 싶지 않은 게 사실이었다. 정말로 하고 싶은 것은 무엇일까? 좀 헛웃음이 나오지만 사실 '놀면서 먹고살았으면 좋겠다.'이다. 글로 표현하니, '허허', '쯧쯧' 소리와 함께 나를 향한 짠한 생각이 마음속으로만 했을 때보다 더 느껴진다. (이건 잠시 제치자. 아마 내 일생에 이런 건 별로 없을 것 같다. ㅋㅋ)

　하여튼 내가 직장생활을 그만두어 시간이 있을 때 진지하게 고민할 부분이었다는 것은 지금에 와서야 안 사실이다. 정말 하고 싶은 것은 무엇일까? 어떤 트렌드를 따라가야 하는가? 빠르게 흘러가는 시대의 흐름을 내가 피부로 느낄 수 있었던 건 휴대전화가 지속해서 바뀌었고, 회사 경영방침에 따른 나의 일의 변화였다.

　집에 오면 육아로 모든 것이 집중되어 있어서 경제도 정치도 어떠했는지 가늠하기 어려웠다. 관심이 없었다는 게 더 맞다. 그즈음 내가 원하는 건 옆 동료처럼 연구하고 싶다였다. 주변 사람들과 다른 내 고유의 업무를 부러워하는 동료도 있긴 했다. 마음이 헛헛할 때면 나는 자기계발서를 읽었다. 나를 응원해주는 유일한 방법이기도 했지만, 나의 통찰력을 높여줄 인풋과 방향 잡기의 부재도 있었다. 만약, 현 직장에서 별문제가 없었다면 이도 그냥 지나칠 일이다.

2022년 매달 새벽 5시 14일간의 '514 챌린지'에 참여할 수 있어서 감사하고 서로를 끌어주고 응원해주는 북클럽을 사랑한다. 내 삶을 돌아보고 나에게 존재감을 일깨워주고 버팀목이 되었다. 앞길이 선명하게 그려 있지 않아도 전진하도록 용기를 주었다. 도전의 기쁨과 변화의 순간을 느낄 수 있었다. 과거가 젊으니 되고, 지금은 나이 들어 안 된다는 말은 이제 접자. 관절이 아프면 아프지 않게 근육을 만들고, 어깨가 아프면 매일 조금씩 규칙적인 운동을 해서 뻣뻣함을 풀어내자. 쌓아진 경험으로 글을 쓰는 마음도 가졌으니 더할 나위 없이 좋다. 내가 소망했던 것이 나의 자존감을 지켜주고 나를 보듬어줄 수 있으리라 생각한다. 오늘의 책 한 권 읽기와 나를 다독이는 글쓰기는 반드시 해내야 하는 내년 2023년의 목표이다.

올해 잘 해낸 일은 신체적 자신감을 다시 찾았다는 것이다.

세상 뭐니 뭐니 해도 건강이 제일이다. 외부 환경의 구속과 정신건강의 위태로움 속에서 3년간 나의 몸은 점점 약해져서 한동안 무기력과 머리의 먹먹함으로 괴로움을 당했다. 아침 챌린지로 스트레칭, 명상, 동네 한 바퀴 걷기도 간간이 쓸 만했지만 지속적이지 않은 것들은 그다지 효과가 없었다. 배 둘레가 점점 늘어나고, 바지가 한 치수 늘어갈 때마다 어떡하느냐는 생각만 들 뿐, 관절의 허약을 이유로 그 어떤 운동도 시도하기 어려웠다.

그즈음 '1분 다이어트'라는 SNS 광고를 두어 번 넘기다가 혹시나 하는 마음으로 클래스에 들어갔다. 날마다 주어진 식단을 준비하는 과정에서 알게 되었다. 다이어트의 진실은 운동보다 건강한 식단이다. 재료를 준비해서 먹는 내내 즐거웠다. 밥이 없는 식단이지만, 단백질, 탄수화물, 지방, 과일과 채소 함량이 조절된 음식을 매일 규칙적으로 먹고 물도 자주 마신다. 나쁠 게 하나도 없고 지키기만 하면 되는 다이어트이다.

사실, 다이어트가 아닌 식단관리라는 말이 훨씬 잘 어울린다. 세상에 음식 재료는 많다. 내가 어떻게 먹을지가 문제이다. 첨가제 없는 날것의 신선한 음식을 먹을 때 건강의 위태로움은 정말 사라진다. 나와 가족만 알고 있는 내 살들의 체지방을 걷어낸 기쁨이 컸다. 마음과 몸 건강은 맞물려서 간다고 듣기만 했는데 정말 실감하게 되었다. 음식의 먹는 맛도 있지만 '보는 맛'이 엄청나다. 체형의 라인이 달라지고 10년 전에 입었던 옷이 다시 들어가는 짜릿함이 있다. 그래서, 평상시 강한 어투의 내가 아닌데도 건강해지는 방법만큼은 자신 있게 사람들에게 말해 준다.

이제는 필라테스를 하며 잔근육과 코어의 힘을 기르는 중이다. '궁하면 통한다.' 신체적 건강함과 더불어, 읽고 글쓰기를 통해 단단한 마음의 근육을 늘려가야겠다.

어렸을 때 "토끼"라는 별명을 가진 적 있다. 사실 나와 내 친구, 두 어린이의 느림이 남과 달라 나에게는 "토끼", 내 친구에게는 "거북이"라는 별칭이 주어졌다. 나의 별명이 결코 기분 나쁘지 않았다. 젊은 시절에 급하게 이루겠다고 처절히 도전하다 보니 어느 곳에 자리하고 있는 나의 구멍을 간과했다. '급히 가면 체한다. 천천히 둘러보고 다스리며 가면 더 큰 것을 얻는다.' 동화 '토끼와 거북이'에서 나오는 거북이처럼 마지막 도착점까지 느리더라도 나를 달래며 살아보려고 한다.

'반백의 삶'과 '2022년의 도전'은 성탄절에 내게 안겨준 의미 가득한 '크리스마스 선물'이다. 1년이 지난 2023년의 오늘, 내가 나에게 줄 선물은 무엇일까? 연말은 한 해의 마무리를 위한 시간도 되지만 내년을 살아갈 준비의 시간이기도 하다. '나'라는 차를 정비하고, 세차하며, 연료를 넣는다. 가고 싶은 목적지를 정하고 가벼운 출발을 기약한다.

인생 후반전을 준비하며

2022년 카타르 월드컵 결승전에서 아르헨티나와 프랑스가 맞붙었다. 전반전 아르헨티나가 두 골을 먼저 넣으며 리드를 했고, 성급한 사람들은 프랑스의 패배를 얘기했다. 골이 문제가 아니라 프랑스의 경기력이 최악에 가까웠기 때문이다. 전반전 내내 단 한 개의 슈팅도 때리지 못했다. 후반전을 시작하고도 아르헨티나의 흐름으로 경기는 진행되었다.

그러나 프랑스도 전반전처럼 무기력하게 끌려가지 않았다. 결국 2:2 동점을 만들었고, 다시 한 점 실점했지만, 연장 막판에 또다시 동점을 만드는 저력을 보여주었다. 결과는 승부차기 접전 끝에 프랑스가 아쉽게 패했다. 후반전 경기를 보다가 '프랑스 팀에게 전·후반전 사이 15분의 휴식 시간 동안 무슨 일이 있었을까?' 궁금해졌다. '감독의 기가 막힌 전술이 있었나? 선

수들끼리 파이팅을 외쳤나? 다들 프로니까 스스로 마음을 다잡았을 수도 있겠지. 코치진의 도움이나 격려도 있었을 것이다.' 무엇이 되었든 그들은 전반과 다른 후반을 보여 주었고 관객들은 힘껏 응원했다.

2023년 나는 내 인생의 후반전을 시작하려 한다. 설령 프랑스처럼 패배하더라도 박수받는 경기를 하고 싶다. 나도 인생 전반전의 무기력함이 아쉽지만 2022년, 휴식 시간을 잘 보냈으니 괜찮은 후반전을 뛸 수 있을 것 같다. 우연히 보게 된 유튜브 광고가 지금까지 살아온 내 삶을 변화시켰고 이전과 다른 후반전을 살아 볼 용기를 주었다. 2021년 12월 29일 유튜브에서 'mkyu 2022 함께 챌린지', '미라클모닝 514 챌린지' 광고를 봤다. 1월 1일 새해맞이 이벤트 정도로 생각하고 강의를 들었다.

그러나 예상과 달리 '여기서 말하는 대로 만 하면 길이 보이고, 그 길을 따라가면 성공할 수 있을 것' 같았다. 막연하게 '100일 정도 지나면 분명 달라져 있겠지'라고 생각했다. 4월까지 매일 새벽 4시 40분에 기상해서 강의를 듣고 SNS에 인증도 열심히 했다. 따로 디지털 강의를 수강해서 공부했다. 그러나 예상했던 100일이 지났는데 내 주변에 변화가 없었다. 오히려 성공한 사람들을 보고 꿈과 이상은 하늘 높이 올라가는데 현실과 행동은 제자리라 그 간극만큼 더 방황하고 좌절했다.

mkyu에서 "5월부터 시즌2를 진행할 것이고 기존 오픈 카톡방은 사라진다."고 했다. 이대로 끝내기 너무 아쉽다는 생각에 오프라인 만남을 추진했고, 4월 29일 새로운 경험을 했다. '가상공간인 온라인에서 사귄 친구를 오프라인에서 만나기'이다. 사람들을 만나서 고민을 얘기하다 보니 나만 그런 게 아니었다. '내가 잘 못 한 게 아니구나.' '이것까지도 과정이구나.' '하다 보면 뭐라도 될 거야.' 다시 해 보고 싶어졌다.

그러나 인생을 계획대로 사는 건 힘든 일인가 보다. 며칠 전 새로운 친구들과 좋은 기운을 나누고 다시 시작하려고 맘 잡았는데. 5월 2일 대상포진에 걸렸다. 온몸이 바늘로 찌르듯이 아프고, 정확하게 왜인지는 모르겠지만 계속 화가 났다. 새벽 기상이고 뭐고 다 접었다. 그렇게 아무것도 하지 않고, 뒤로 물러나서 보니 '아등바등. 허겁지겁. 남들 하는 거 다 따라 하고, 잘난 사람들과 비교하며 나를 깎아내릴 필요가 없었구나. 내가 할 수 있는 것 중에 잘하는 것에 집중하자'라는 생각이 들었고 맘의 짐을 내려놓았다. 그랬더니 어렴풋이 길이 보였다.

5~9월까지 디지털 에셋. 마인드맵. 부동산. 독서. 마음 챙김. 스마트 스토어. 등 여러 미니챌린지에 가입해서 다양한 것을 배우고 많은 사람을 만났다. 내가 잘 할 수 있는 게 무엇인지 찾아보았다. 9월 드디어 방향을 잡았고 '북클럽 리더'가 되었다. 독(서)초(짜)클럽. 초보 리더라 회원들과 같이 성장하고 있다. "작게 시작해서 단단하게 키우자!" 우리의 슬로건이다.

11월~12월 수십 개였던 오픈 카톡방을 정리하고 나의 원씽을 찾고 있다. 2022년을 마무리하면서 커뮤니티의 구성원들과 당일치기 여행을 다녀오고, 영화도 봤다. 여러 사람과 식사나 티타임도 가졌다. 만나는 사람마다 각자의 우주가 있었고 내 시야도 그만큼 넓어졌다. 그러나 '관계' 안에서의 성장도 좋지만 '개인'으로써 나의 1년을 마무리하는 기념비적인 일을 하고 싶었다. 그때 마침 공동 저자 모집 광고를 보았다. 오랜 망설임 끝의 마지막에 참여했다.

12월 19일 저녁 9시 줌으로 OT를 했고, 공통 글감이 "오늘도 설레입니다."라고 말씀해 주셨다. '설렘'이라는 단어를 듣는 순간 머릿속에 짧은 영상들이 오버랩 되었다. 햇살이 내리쬐는 초봄의 어느 날, 등교 시간에 맞춰 준비물을 사려고 모인 십여 명의 아이들 틈에 나도 서 있다. 아직 끝이 매서운 바람 때문에 우리는 좁은 가게 안에서 어깨를 부딪쳐가며 준비물을 고른다. 그때 문방구 안 방에서 반찬 냄새가 났다. 이 문방구 집도 아침을 먹고 출근하거나 등교하는 식구가 있나 보다 '오늘은 김치찌개네.' '오늘은 청국장이네.' 그때 맡았던 냄새가 추억을 더 풍성하게 만든다.

학교 정문 앞 중심 도로에서 모서리를 돌아 옆길로 접어드니 너무나 익숙한 이름 "합동 문방구"가 보였다. 한참을 가게 안을 기웃거렸다. '그 시절 그 문방구가 아직 있나?' 싶어서 말이다. 집에 와서 초등학교 때의 사진첩을 뒤적여 보았다. 혹시 그때 배경으로라도 찍힌 사진이 있을까 해서 말이다. 역시나 없다. 그때는 필름으로 한 장씩 찍고 인화하던 때라 사진을 함부로 찍거나 인화하지 않았다. 학교 건물이나 운동장을 배경으로 찍은 사진만 몇 장 보인다.

나는 익숙한 곳을 오랜만에 가려 할 때 더 설렌다. 낯선 곳으로의 여행도 익숙한 사람과 함께 할 때 '이 사람과 무엇을 할까?' 기대하게 된다. 한마디로, 공간이 익숙하거나 함께하는 사람이 익숙할 때 설렘이 일어난다. 낯선 사람과 낯선 공간을 갈 때의 감정은 설렘보다는 긴장감이나 흥분에 가깝다. 코로나로 외부 활동을 거의 못 하는 동안 설렘이라는 감정은 점차 사라졌다. 거리두기가 풀리고 오프라인 만남이 하나둘 생기면서 다시 몽글몽글 설렘이 생겨났다. 나는 혼자일 때는 익숙한 곳을 찾고. 사람들과 함께 할 때는 새로운 곳을 간다. 사람과 장소 중한 곳은 익숙한 곳으로 가려 한다. 긴장감과 편안함 사이 어딘가에 있는 설렘을 찾아서 말이다.

지나고 보니 2022년은 기적이었다. 많은 친구를 사귀었고 다양한 것을 배우고 경험했다. 무엇보다 값진 성과는 '나와 친해졌다'라는 것이다. 살면서 '나'에 대해 이렇게 오랫동안 깊이 있게 알아보려 애쓴 적이 없었다. 내 주위의 오래된 사람들과 2022년 새롭게 알게 된 사람들, 그들과 함께 할 '나의 인생 후반전이 얼마나 근사할지' 생각만으로도 가슴 벅차고 설렌다.

나의 원씽

말과 글에는 힘이 있다. 어떤 단어는 떠올리는 것만으로도 에너지가 전달된다. 심지어 소리로 표출되고, 문자로 적힐 때 그 에너지는 증폭된다. "사랑해", "고마워"라는 말을 하면서 인상 쓰거나 화를 내는 사람이 몇 명이나 될까? 대부분 사람은 그 말을 하거나 들을 때 부정적인 감정보다는 긍정적인 감정이 든다. '꿈' '희망' '도전'이라는 단어는 우리를 설레게 하고, 하고자 하는 의지가 샘 솟게 한다. 나는 2022년 한 해 동안 수없이 많이 '꿈'에 대해 생각했고, 2023년 다시 '꿈'을 꾸고 '희망'을 품고 '도전' 하려 한다. 그러나 솔직히 설레는 만큼 조심스럽다. '꿈'을 꾸는데 왜 조심스럽고 망설여지는 걸까?

꿈은 누구나, 언제든지 가질 수 있다. 그러나 우리는 특별한 사람이나 젊을 때만 할 수 있다고 생각한다. 마치 꿈을 꾸기 위한 자격 조건이 따로 있는 것처럼 말이다. 사람들은 인생 초반인 10~20대에 꾸는 꿈과 후반인 40~50대에 꾸는 꿈이 다르다고 생각한다. 초반에 꾸는 꿈은 많은 사람이 "꿈은 크게 가질수록 좋아." "열심히만 한다면 뭐든 할 수 있어."라며 응원해준다. 그러나 후반에 꾸는 꿈은 "굳이 그 나이에 뭘 그리 아등바등 살려고 해" "지금 해서 되겠어?"라며 시작도 하기 전부터 회의적이다.

그러나 인생 후반에 '꿈'을 준비하니 좋은 점이 많다. 우선 돌발 상황이 생겨도 대처할 수 있는 연륜이다. 경험을 통해 '인생이 계획대로 되지 않는다.'라는 것을 알기에 항상 대안을 염두에 둔다. '친구들과 해외여행을 갈 것이다. 만약을 위해 국내여행도 같이 생각해보자'처럼 말이다. 다음은, 과정을 생각하고 실현할 수 있는 꿈을 꾼다. '건강한 삶을 위해 운동을 시작할 것이다. 하루 1시간 운동장 걷기부터', '1일 1강 듣기로' web 3.0 공부를 해서 5년 안에 경제적 안정을 만들 것이다. 마지막으로 40~50대에 꾸는 꿈은 '나'보다 '우리'가 중심에 있다. 나만 생각하는 미래가 아닌 가족과 이웃과 나아가 지구와 후손을 생각하는 꿈이다. 'ESG 인플루언서 자격증을 취득해서 지구를 위해 환경 지킴이가 될 것이다.'처럼 말이다.

내 꿈은 '자유로운 삶을 사는 것'이다. 내가 생각하는 자유는 하기 싫은 일을 하지 않는 것이고, 내가 선택한 것에 책임질 수 있는 능력을 갖추는 것이다. 자유롭게 살기 위해선 경제적 안정이 우선 이뤄져야 한다. 좋아하는 일이 소득으로 이어지는 '덕업일치'가 된다면 가장 좋겠지만 아직은 생계가 우선이라, 시간과 돈을 투자해서 경제적 안정을 준비할 것이다.

다만 40~50대는 인생에서 가장 바쁜 시기로, 소속된 곳이 많고, 각각의 관계 속에서 다양한 역할을 해야 하므로 많은 시간을 쓸 수가 없다. 가장 중요한 한 가지, 원씽을 찾아 그것에 집중해야 한다.

2023년 나의 원씽은 경제적 안정을 준비하기 위한 스마트스토어이다. 집중하기 위해서는 많은 에너지가 필요하고 긍정의 말과 글을 통해 에너지를 충전할 수 있다. 사람들이 긍정 확언이나 좋은 글을 필사하는 이유가 이것이다. 말과 글에는 힘이 있다. 매일 아침 나를 설레게 할 긍정 확언을 말해본다. '나는 내 일을 좋아하고, 이 일은 내 꿈의 터전이자 내 꿈의 씨앗이다.' 궁극적으로 내가 바라는 것은 '자유로운 삶'이다.

너희들의 수학여행을 응원하며

운영회의가 있어서 학교에 갔다. 내년도 학사일정과 예산에 대해 심의했다. 고등학교 일정은 대부분 공부와 시험이다. 가뭄에 단비처럼 체육대회나 학예제, 현장 체험 학습 등이 있지만 가장 큰 행사는 뭐니 뭐니 해도 '수학여행'일 것이다. 코로나로 몇 년 동안 중단되었던 수학여행을 다시 시작하면서 선생님, 학생, 학부모 모두 기대가 크다.

예비 고2 학생들이 수학여행지를 투표로 정하고 3박4일 여행 코스 또한 공모했다고 한다. 1위로 뽑힌 곳은 제주도였다. 여행 코스를 스스로 짜면서 아이들은 얼마나 설레고 행복했을까? 마음은 벌써 그곳을 여러 번 다녀왔을 것이다. SNS에 올라온 사진을 보고 블로그도 읽어보고. 지도나 홈페이지를 일일이 찾으면서 일정을 조율했겠지. 코로나로 인해 몇 번의 좌절을 경험해서일까? 쓸데없는 노파심일까? 불안한 마음이 생겼다. 아이들이 바라고 준비한 수학여행을 다녀올 수 있도록, 어떤 돌발 상황도 생기지 않기를 바라는 마음이 간절했다.

나 때는 학교에서 정해준 천편일률적인 코스로 시키는 대로 움직였다. 그런데도 즐거웠다. 친구들과 함께하는 여행이라는 것만으로도 설레었다. 이젠 그 친구들 얼굴은 가물가물하다. 그러나 그때의 분위기는 생생하다. 늦은 밤 캠프파이어를 하면서 맡았던 모닥불 냄새가 나는 것 같고, 친구들의 웃음소리와 같이 불렀던 노래가 들리는 듯하다. 한때 행복했던 추억이 몇십 년이 지난 지금까지도 우리를 행복하게 한다.

수학여행은 일상으로부터의 해방이고. 학교와 집으로부터의 합법적인 탈출이다. 무엇보다 친구들과의 은밀한 비밀을 만들 수 있는 시간이다. 대학생이 되고 어른이 되어서도 여행을 갈 수 있다. 그러나 그때의 여행은 해방감도 은밀함도 없다. 대한민국 고등학생으로 살아온 사람만이 그 시기를 함께한 친구들과 공유하는 감정이기 때문이다. 그런데 우리 아이들은 코로나로 그런 추억을 하나도 만들지 못했다. 그것이 안타깝고 미안하다.

큰딸은 코로나 이전에 고등학교 입학해서 1학년만 정상적인 학창 생활을 했다. 그래서 수학여행도. 졸업여행도. 졸업식도 못 했다. 작은딸은 중학교 졸업식. 고등학교 입학식이 없었고. 수학여행도 하루 코스로 근처에 다녀왔다. 마스크 없이 친구들을 만난 적이 없어서 마스크를 쓴 얼굴만 기억한다고 하니 코로나가 끝나고 친구들을 만났을 때 알아볼 수 있을까? 코로나 시대 아이들은 그들 나름의 추억을 공유하며 살았다. 몇십 년 후 이런 특별했던 상황을 추억하겠지.

아이들아, 수학여행이라는 값진 추억을 쌓지 못한 너희들을 위로하고, 내년에 여행을 가게 될 후배들이 원하던 곳으로 갈 수 있기를 함께 빌어주자.

'자기 날개로 날아야 아름답습니다. 참새가 날 수 있는 건 날개가 있기 때문입니다.' 는 글을 만나고 살아온 나의 곁들인 이야기

2부 ...... 설레임

내 속에 숨겨져 있던 보물

　여자의 인생에 크게 영향을 끼치는 사건은 결혼과 출산이라는 2가지이다.

　밝은색을 가졌던 나는 결혼을 하면 배우자와 동반자의 삶을 살고 서로를 존중해주며, 서로의 색이 섞이며 조화롭게 살아가게 될 줄 알았다.

　그러나 누군가의 아내, 엄마로 살게 되면서 나의 삶은 무채색으로 변하게 되었다. 무채색이 어떻길래 그렇게 힘들어하냐고 말할 수도 있지만, 나의 삶은 무기력해졌다. 나를 쓸모없는 사람으로 여기게 했으며, 인간 관계도 탁하게 만들었다.

　내 나이는 40대 초반이다. 100세 시대의 남은 생을 무채색으로 살고 싶지 않다. 온전한 나를 찾고 싶지만, 혼자서 일어서기가 너무 힘들다. 이때 MKYU 대학의 514 챌린지를 알게 되었다. 514 챌린지는 14일 동안 새벽 5시에 일어나서 나를 끌어올리는 훈련을 하는 것이다. '내가 과연 새벽 5시에 일어날 수 있을까?'라는 생각을 가지며 참여했다. 1일 차는 놓쳤고, 2일 차는 밤을 새웠으며, 3일 차부터는 몸이 알아서 기상하게 되는 기적을 경험하기 시작했다. 나를 찾고자 하는 갈망이 강하고, 그 갈망을 받아 이끌어 줄 수 있는 시스템을 만나게 되니 점점 활력있는 삶으로 변하기 시작했다.

나에게 필요한 것은 성장시킬 수 있는 시간, 나한테만 집중할 수 있는 시간이 필요했다. 그 시간은 모든 가족이 깊은 잠이 든 새벽 시간이었다. 김미경 캡틴의 소리에 용기를 내어 스스로 일어서기 시작했고, 걷기를 시작했다. 얼굴은 모르지만, 서로가 할 수 있다고 용기를 보내는 사람들로부터 에너지를 얻고, 점점 나 자신을 드러내게 되었다.

빛도 들어가지 못하는 시꺼먼 진흙 속에 숨겨져 있던 영롱한 색 구슬이 하나씩 보이기 시작했다. 크기도 색도 다양한 구슬이었지만, 없어진 것이 아니었다. 그저 내 속에 숨겨져 있었다. 그 숨겨진 것을 꺼낼 힘이 없었기에 나는 무채색의 삶을 살고 있었다. 나를 드러내는 것은 다른 누군가가 아닌, 나 스스로가 꺼내야만 빛을 낼 수 있는 것이었다.

하늘은 스스로 돕는 자를 돕는다고 한다. 기회의 신은 앞머리만 있고 뒷머리는 민머리라고도 한다. 내가 무기력해져 있을 때는 '나에게는 기회가 없어. 난 이렇게 살아야 해.'라며 점점 깊고 깊은 시꺼먼 늪으로 들어가게 된다. 만약 나에게 색을 입히고 싶다는 소망이 없었다면, 나를 찾고 싶다는 갈망이 없었다면 내 삶에 변화가 있었을까?

'용기란 두려움이 없는 게 아니라 두려움을 극복하는 것이다'라고 넬슨 만델라가 말했다. 중요한 것은 끝까지 나 자신을 스스로가 포기하지 않고 놓지 않는 것이다. 언젠가는 나를 일으킬 수 있는 때를 만나게 될 것이다.

2022년 한 해 동안 여러 가지 나를 찾았다. 책 읽기를 좋아하는 나, 사람들에게 도움주기를 기뻐하는 나, 내가 알게 된 것을 함께 나누기를 좋아하는 나, 책 육아에 진심인 나, 웹3.0을 알아가는 나. 나를 찾아가는 여정이 너무나 즐겁다. 숨겨져 있는 나는 어디에 있을까 설레기도 한다. '나를 어떻게 표현할까?', '다른 사람들에게 나는 어떤 사람이 되고 싶은 걸까?' 앞으로 나의 모습에 대해 행복한 고민을 시작했다.

참된 위로자는 같은 힘든 상황을 겪고 이겨낸 자라고 한다. 예전의 나처럼 무채색으로 무기력 속에 허덕이는 사람들에게 힘이 되어주는 사람이 되고 싶다. 용기를 주면서 성장하는 삶을 이끌어주는 사람이 되고 싶다. 세상은 혼자 살아가는 것이 아니다. 함께일 때 일어설 용기를 내기가 쉽다. 그래서 함께하는 사람이 되어 주고 싶다.

우선 내가 먼저 한걸음 움직여 본다. 지금은 디지털 튜터, 캔바 디자인, NFT 공부, 이프렌드 밋업, 경제 공부, 글쓰기 공부 등 새로운 색 구슬을 만들고 있다.

미래의 내 모습을 그려본다. 1년 후 나의 찐 커뮤니티를 가지고, 공저가 아닌 나만의 책 한 권을 출판하게 될 것이다. 주기적인 자녀교육 강연, 라이브 방송, 이프렌드 밋업을 통해 나의 찐 팬을 만들 것이다. 한 달에 4~5권의 책을 읽고, 지속적인 글쓰기로 근력을 키운 뒤에 책을 출판할 것이다.

3년 후 나만의 브랜딩을 가지고 자유경제를 누리게 될 것이다. 부모 교육, 마인드 셋 코치, 작가가 되어 강연과 책으로 수익을 내는 사람이 될 것이다.

7년 후 아이와 함께 유럽 배낭여행을 즐기고 있을 것이다. 지금부터 엄마표 영어, 영어 회화를 공부하고, 여행자금도 모으고, 체력도 키워서 배낭여행을 할 것이다. 아이의 사춘기와 나의 갱년기를 행복하고 지혜롭게 이겨낼 것이다.

오늘의 나는 내일의 나를 만든다. 내일의 내가 무엇을 하고, 어떤 모습을 하고 있을지 가슴이 두근거린다.

너와 함께 걷는 길

열매는 세상의 소리를 자의적으로 껐다 켰다 가능한 아이이다. 세상의 소리를 듣도록 도와주는 도구가 없을 때는 자신의 목소리가 더욱 크게 들리며, 자신의 목소리에 더 집중할 수 있다.

열매를 낳고 슬피 울기보다는 '아이가 이 세상을 살아가는데 어떤 도움을 줄 수 있을까'라는 책임감이 더 컸다. 한 생명이 세상의 빛으로 나오는 것, 세상 속으로 나서는 것은 분명 축복받을 일이다. 대부분 아이와 다른 모습을 가졌다고 해서 세상으로의 첫 등장에 축복을 못 받는다는 것은 슬픈 일이다. 세상의 첫걸음에 축복을 한가득 쥐여주고 그 힘으로 세상으로 나아갈 수 있어야 하는 것이지 않을까?

그러나 세상은 함께 축복하기보다는 상처를 더 안겨줬다.

열매 아빠는 신의 존재는 인정하지만, 신앙을 버렸다. 10년 넘게 중고등부 교사로 섬겼던 교회 목사님이 너희가 감당할 수 있기에 열매가 이런 모습으로 태어난 거라고 말했다. 독실한 신앙인으로 인정받기보다는 위로가 필요했던 때였다. 같이 신을 욕할 수 있기를 바랐다. 이런 위로는 참된 위로가 되지 못했다.

생후 100일 된 아이의 유아세례를 받기 위해 교회에 갔다. 한 장로님이 열매의 귀 모양을 보기 위해 감쌌던 천을 들췄을 때 나는 신앙을 혼자서 지키기로 결심했다.

산후 10개월쯤에 우울증이 심해졌다. 열매에게는 상냥한 목소리로 말을 건네고 있지만, 표정은 힘듦에 찌들어있는 나의 모습을 보게 되었다. 충격이었다. 그동안 열매는 이런 나를 보고 있었단 말인가? 절대 좋은 모습은 아니었다.

집 주변 어린이집에 등록하기 전 열매에 대해 알려주었다. 두 군데에서 연속 거절을 받았다. 아이의 첫 교육기관인 어린이집이었는데 거절을 당한 것이다. 내가 거절당한 것처럼 가슴이 쓰라리고 커다란 구멍이 뚫린 듯 했다. 내 마음의 상처를 돌볼 여력도 없이, 열매가 이런 세상을 살아가는 데 필요한 용기와 지혜를 어찌 만들어 줘야 할지 고민하게 되었다.

산후조리원 동기에게 자신의 아이가 다니는 어린이집 원장님을 소개받았다. 그 어린이집 원장님과 면담하는 가운데에 그동안 흐르지 않게 했던 눈물이 쏟아졌다.

'어머니~ 열매와 같은 친구는 더욱 빨리 어린이집을 다니기 시작해야 해요. 아이들이 편견의 시선이 생기기 전부터 함께 지내게 되면 아무 편견 없이 열매의 존재를 받아들이고 함께 놀고 지낼 수가 있게 되어요. 내일 당장 열매를 원으로 한번 등원시켜 보세요."

이렇게 열매는 생후 10개월부터 사회생활을 시작하게 되었다.

생후 14개월 전까지는 머리뼈가 단단해져 있지 않은 상태이기에 보청기를 제대로 착용할 수가 없었다. 그래서 다른 아기들보다 옹알이 횟수도 적고, 소리에 반응하는 것을 확인하기 위해 귀 근처에 데시벨 측정기를 두고 반응도를 확인하며 내 목소리도 커지기 시작했다. 보청기를 하루에 10시간 정도 착용할 수 있게 되면서 세상의 소리를 들려주기 위해 바빠졌다. 하루에 40~50권의 책을 읽어주기 시작했다. 집에 있을 때는 클래식 라디오방송을 들려주거나, 그림책 오디오를 들려줬다.

6개월 동안의 노력으로 생후 20개월에 옹알이가 외계어처럼 바뀌고, 알아듣는 수용언어의 범위가 넓어졌다. 생후 30개월이 되었을 때는 또래보다 수용언어가 6개월 빨랐으며, 표현언어는 3개월 빨랐다. 이 결과서를 받았을 때 고군분투했던 나의 모습이 떠오르며 눈물이 났다. '잘했어. 잘하고 있고, 앞으로도 잘 해낼 거야'라며 스스로 힘을 줄 수 있었다.

열매를 양육하면서 나 또한 많이 성장했다. 보통 엄마라는 단어를 떠오르면 '희생'을 많이 생각하게 되는데, 열매의 엄마로 살면서 희생보다는 '성장'이라는 단어가 더 크다. 열매를 위해 이것저것 알아보고 노력했던 시간이 자기 계발을 위한 시간이라기보다는 희생이라고 볼 수도 있다. 지금 나의 모습을 바라보니, 내 속에 있는 색 구슬이 대부분 열매를 통해 만들어진 것들이 많다.

열매는 예민한 아이이다. 털털하고 덤벙대는 나의 성향과 반대이기에 아이에게 반응하기 위해서는 세심한 관찰력과 집중력이 필요했다. 상대방의 반응에 대해 민감해지는 훈련을 하게 되었고, 부정적인 반응에 어떻게 대응해야 하는지 아동심리에 관한 공부, 감정대처 심리, 말 공부를 많이 하게 되었다. 아이의 정서와 언어발달을 위해서 생후 8개월부터 발달 재활센터를 다니기 시작했고, 전문가 선생님들께 피드백을 받고 관련 서적들을 읽으면서 반전문가가 되었다.

책 육아를 하면서 제2의 직업인 책 선생님을 하기도 했다. 시기별 책 읽기 방법과 책과 함께 놀이하는 방법, 책의 종류와 특징 등을 알게 되었다. 그리고 다양한 부모와 아이들을 만나면서 그들에게 적합한 책 읽기 방법들을 제공할 수 있었으며, 엄마 상담도 진행하게 되었다. 열매를 더 잘 키우기 위해 시작했던 일들이 나의 색 구슬들로 만들어졌다.

코로나 시대가 열리면서 책 선생님으로서의 직업은 그만두게 되었고, 우울증이라는 손님이 찾아왔다. 우울증은 점점 심해지면서 주변 사람들과의 관계를 스스로 단절하게 하였고, 그나마 친정 가족들과 한 번씩 연락을 주고받는 정도였다. 내가 책임질 인생인 열매가 있었기에 나 자신을 온전히 버리지는 못했다. 2021년에는 예비초등생이 되어 나에게 불씨를 던져 주었고, 조금씩 스스로 힘을 내서 나아갈 수 있게 해 준 존재가 열매였다. 부모는 자식 때문에 산다고들 하는데, 나는 자식 덕분에 살게 된 것이다.

2022년에는 열매도 학교에 입학하면서 본격적인 학업의 길을 시작하고, 나도 MKYU대학의 학생으로서 공부의 길을 시작하게 된다. 열정 대학생이 되면서 나를 찾기 위한 여정의 시작이었지만, 열매가 살아가게 될 미래를 먼저 준비하고자 하는 생각도 컸다. 아이가 온전히 독립하기 전까지 걷게 되는 길들을 준비해주고 인도해주며, 방향 설정에 도움을 줄 수 있는 것은 부모인 바로 나였기 때문이다.

열매는 6살부터 3년째 화가의 꿈을 꾸고 있다. NFT 작품이 메타 세상뿐만 아니라 현실 세계에서도 전시회 여는 것을 알게 되었다. 열매의 작품을 NFT 작품화하고 싶다는 생각에 NFT 커뮤니티에 들어가게 되었으며, 하나씩 공부해 나가는 중이다.

열매는 나에게 이 세상 최고의 선물이다. 나를 고민하게 하며, 공부하게 하고, 또 다른 도전을 할 수 있는 원동력이 되며, 성장 자극이 되는 친구이다.

앞으로 사춘기라는 큰 산이 다가올 수도 있겠지만, 함께 겪

고 이겨내며 어떤 엄마로 성장하게 될지를 생각하면 하루하루
가 기대된다.

너와 내가 만들어가는 별자리

전업주부로서 나의 정체성에 대해 고민하던 중 MKYU 온라인 대학에서 진행하는 514 챌린지를 참여하게 되었다. 공개 채팅방에는 가명을 쓰는 1,400여 명이 새벽 5시에 일어나는 공부 도반으로 삶을 나누기 시작했다. 그중에 한 명이 나였다.

누군가 우리 1번 방에도 북클럽이 있으면 좋겠다는 글에 마음이 움직여져서, 북클럽 회원을 모집하게 되었다. 책 선생으로 5년간 일했던 것이 발판이 되고, 같이 일했던 선생님이 독서 모임을 운영하는 것을 보며 대단하다고 생각했던 것이 남아서 그랬을까. 나도 이제는 책을 읽어야 하는데 혼자서는 힘드니까 이참에 함께 하는 것으로 나를 묶어보자는 마음에서였을까. 일단 독서 모임을 하고 싶다는 마음이 나를 움직였다. 누군가의 소원과 나의 마음으로 2022년 1월 15일부터 50여 명의 책 여행이 시작되었다.

북클럽을 운영해 본 적도 없고 리더로서 훈련받은 적도 없다. 하지만 책 읽기를 통해 함께 성장하고자 하는 마음이 회원들의 마음도 함께 움직이게 된 것 같다. 처음에는 각자의 속도에 맞추어 조금씩 전진해 나가자는 마음에 '시나브로 북클럽'이라는 이름으로 책 읽기를 시작했다.

매주 화요일, 토요일 새벽 5시에 일어나 각자가 읽고 싶은 책을 30분간 읽고 1명이 책 후기 말하기로 나눔을 진행했다. 책 후기 나눔을 하지 못한 회원들은 글쓰기로 공유했다. 시나브로 북클럽 덕분에 2월에는 MKYU 대학의 캠퍼스에 가서 '하오마마'라는 이름으로 인터뷰 영상도 찍었고, 그 인터뷰 영상이 만여 명이 실시간 보는 새벽 5시의 514 챌린지 유튜브에 송출되기도 했다.

4월까지 30~40명이 모이던 모임이 5월이 되면서 5~10명으로 모이게 되었다. 어떨 때는 2명의 회원과 모임을 진행할 때도 있었다. '내가 잘못하고 있는 걸까? 그만 해야 할까?'라는 생각이 들었다. 심지어 모임에 진행자인 내가 늦잠을 잘 때도 있었다. 내가 가라앉으니 모임의 인원도 확 줄어드는 것이 보였다. 갈등의 시작이다.어떨 때는 2명의 회원과 모임을 진행할 때도 있었다. '내가 잘못하고 있는 걸까? 그만 해야 할까?'라는 생각이 들었다. 심지어 모임에 진행자인 내가 늦잠을 잘 때도 있었다. 내가 가라앉으니 모임의 인원도 확 줄어드는 것이 보였다. 갈등의 시작이다.

이때 나를 붙잡아 준 회원이 있다. 전화로 모닝콜을 해준 '미틈달' 회원, 끝까지 자리를 함께 지켜준 '운아' 회원, '보가로' 회원, '라온정' 회원. 이들 덕분에 포기하지 않고 끝까지 자리를 지킬 수가 있었다.

다시 성장하자는 의미로 북클럽 이름을 바꿨다. '마스터리 북클럽'. 책 여행을 통해 단단한 마음, 지속하는 힘, 끝까지 가는 저력을 보유하는 마스터가 되어가는 북클럽럽이다. 모임 시간도 새벽 6시로 변경하고, 책 후기 말하기 나눔을 2~3명으로 확대했다. 느낀 점을 공유하는 것은 삶에 관한 생각으로까지 전달하게 되었고, 우리는 서로의 삶을 공유하게 되었다. 구성원들이 연결되고 함께하며 진화하는 '우리'가 되어가는 것이다.

8월에는 첫 오프라인 모임으로 만나서 시 낭송의 시간도 가지고, 10월에는 주제 도서를 읽고 첫 토론회도 하게 되었다. 오프라인 모임의 장소에 대해 함께 고민해준 '우주의 중심' 회원과, 토론회 장소를 제공해준 '현인성' 회원이 아니셨다면 힘들었을 면대면 모임이었다. 저 멀리 홍콩에서 온라인 모임을 함께하며 책 후기 나눔을 할 때 허를 찌르는 질문으로 함께 생각하게 도와주는 '명품 미소' 회원, 책 후기를 나눌 때 키포인트를 잘 짚어서 질문을 해주는 '출발' 회원, 매일 새벽 독서로 깨닫는 내용을 글로써 공유해 주시는 '행운 친구' 회원, 한 번씩 생각나고 몸이 일어날 때면 온라인 모음을 함께하는 회원분들, 새벽 온라인 모임에는 함께하지 못하지만 오프라인 모임 때에는 모여서 모임의 기쁨을 함께 누려주시는 회원분들. 이들 모두가 각자의 자리에서 가지고 있는 역량으로 도움을 주며 함께 했기에 북클럽 모임이 지속해 유지할 수 있게 되었다.

모임에 힘이 생기기 시작하면서 나도 힘을 얻게 되었다. 부족하고 모자란 리더이지만 뒤에서 밀어주고 용기를 준 회원들이 있었기에 일어설 수 있었다. '북클럽을 어떻게 하면 더 활기차게 함께하고 싶은 공간으로 만들 수 있을까?'라며 고민하게 되었고, 공부하기 시작했다. 회원들이 원하는 바가 무엇인지 고민하기 시작했다. 그 고민을 해결하기 위해 내가 어떻게 도움을 줄 수 있을지도 고민하게 되었다.

요즘 회원들의 고민은 경제에 대한 무지를 경제 문해력을 가진 자로 성장하는 것이었고, 책을 읽기만 하는 것이 아니라 글을 잘 쓰고 싶다는 것이다. 나 또한 같은 고민하는 사람이었고, 한걸음 먼저 나아가서 회원들에게 도움을 주고 싶다는 마음이 들었다. 그래서 돈을 지불하고 경제 공부를 시작하게 되었고, 글쓰기 챌린지도 시작하면서 공저 쓰는 모임에도 함께하게 되었다.

2023년에는 책 읽기뿐만 아니라 글쓰기로 확장하는 '마스터리 북클럽'을 목표로 설정하게 되었으며, 짧게 1~3줄을 쓰는 '생각 사전' 챌린지도 진행할 것이다. 그래서 2022년 12월 말에는 캘리 강사님을 초빙해서 '왕왕 왕초보 캘리 수업'을 진행하기도 했다. 내가 읽은 책의 구절이나 생각 한 줄을 손 글씨로 작품화하는 것을 글쓰기의 첫걸음으로 만드는 프로젝트였다. 손 글씨 작품을 NFT 작품화해서 연말에는 메타 전시를 하는 것이 꿈이다. NFT 공부를 시작한 것은 내 아이의 작품을 NFT 작품화하기 위해서였는데, 내 개인의 꿈이 마스터리 북클럽과 함께 꾸는 꿈이 되었다.

'기빙 파워'라는 책에서 별자리 리더십은 어디든 자리 잡고 빛나면 모두가 별이라는 것이라고 한다.

"위대한 성취는 정해진 목적지를 향한 고독한 경주가 아니다. 다른 사람들과 함께 이루는 도약이다. 효과적인 팀은 서로의 결점에 대한 관용을 보인다. 작고 반복적인 진화가 엄청난 영향력을 만들어낸다."

이 구절을 보는데 '마스터리 북클럽'이 생각났다. 혼자서 이 모임을 이끌려고 했다면, 지금의 모습을 갖추지 못했을 것이다. 내가 그리는 북클럽의 모습에 지지해주며, 함께 고민하고 어떤 도움을 줄 수 있을까 하고 이야기해주는 회원들이 함께하기에 꿀 수 있는 꿈이다. 2023년 12월 31일이 기다려진다. 함께 성장하는 우리가 어떤 그림을 그리고 있을지….

자기 날개로 날아야 아름답습니다

'자기 날개로 날아야 아름답습니다. 참새가 날 수 있는 건 날개가 있기 때문입니다.' 는 글을 만나고 살아온 나의 곁들인 이야기.

나는 쉰 살에 직장을 잃었다. 전에 하는 화장품 회사를 정리한 후 마땅한 자리를 찾지 못해 이곳저곳 기울인 곳이 많았다. 결혼 매니저, 보험 회사 팀장, 쥬얼리 매니저 등 이리저리 알아보든 중 청담동 쥬얼리 매니저 일을 아르바이트도 하며 집중적으로 알아보았다. 쥬얼리 공부도 하고, 막상 뚜껑을 열고 보니 겉은 화려한데 회사가 안정이 필요했다. 고가의 쥬얼리 매장인데 돈의 흐름이 원활하지 못했다. 날 찾아오는 분들께 실수가 두려워 그것마저 접고 나니 마음은 더욱 불안한 날의 연속이었다.

아이들은 한창 공부하는 세 명, 모두 대학생이어서 일을 관두고 나니 나 자신이 새삼 한심스러웠다. 당시 문인화를 배우고, 삼성동 주민 센터에서 도자기를 구으러 이천을 가게 되었다. 구워 놓은 도자기에 문인화 그림을 그려보는 일이었다. 오는 길에 한 회장님의 안내로 식사할 곳은 경기도 광주시 남한산성면에 있는 계곡 부근 숏대 정원이란 까페 겸 레스토랑이었다. 식사하고 농장을 둘러보았다. 현재는 없어졌지만 당시 입구에 핀 수국과 아기자기한 풀꽃들, 새들은 지저귀고 날아다니는 모습을 보니 상쾌했다. 비 온 뒤 맑은 개울 물 흐르는 소리와 까페 앞 연못의 한가하게 헤엄치는 잉어 떼를 보는 즐거움이 있었다. 레스토랑을 뒤로하여 언덕을 오르니 보라빛 산포도가 싱그럽게 알알이 익어가고, 작은 산책로로 올라가는 중 크고 우직한 돌에 새겨진 '참새 철학'을 발견했다. 개울물이 흐르는 레스토랑만 오는 손님은 주변을 둘러보지 않으면 알 수 없다. 주인집이 사는 농장 입구에 나무들과 풀들 속에서 그 글을 만났다. 회색 돌에 또박또박 새겨진 궁체의 글씨였다.

평생을 검소하게 살아오신 분의 철학을 담은 글이었다. 글 밑의 설명은 농장 주인이 칠십 평생 일구어 온 재산을 이웃과 나누는 장학 재단에 기증하는 내용이었다. 그분은 일곱 자식을 두었고 막내며느리가 레스토랑을 운영하는 중이었다.

'자기 날개로 날아야 아름답습니다. 참새가 날 수 있는 건 날개가 있기 때문입니다.'

자기 날개라… 자기 날개라니….

나는 날개가 없었다. 한쪽 날개도, 다른 쪽 날개도 없었다. 화살이 심장을 겨냥한 것 같은 느낌이 들었다. 날개가 필요한 나였는데, 필요한 것이 날개인 줄 몰랐고, 날개라는 단어는 내 폐부에 파고 들어왔다. '어떻게 살아가지?' 내가 살아오면서 힘들 때마다 책을 보며 공부는 했지만, 돈을 버는 일은 항상 힘이 들었다. 남편과 사별 후 마흔넷의 나는 일어서 보려고 애를 썼다. 마음만 일어서려 하고 행동으로 옮겨지지 않는 날의 연속이었다. 돈을 벌어야 해서 벌어 보았지만 마음은 바쁘고 자신이 없었다. 일을 하려고 애썼지만 마음에 들지 않았고, 눈치도 없었다. 그것은 날개가 없다는 거였다.

평소 내가 마음속에 간직한 말은 '경영이 뭘까?', '어떻게 하면 경영을 잘 하는 걸까?'가 궁금했다. 수많은 선택과 집중에서 돈을 버는 방법을 다루는 경영학이라는 학문은 경제 관련 숫자였다. 가정을 잘 꾸리는 것도 경영이고, 가게를 오픈하여 물건을 파는 것도 경영이다. 살아가는 데는 숫자적인 돈이 필요하고, 이는 내가 가장으로 가정을 꾸리자면 돈을 버는 일이었다. 세상 모든 것은 경영으로 통했다. 경영이 궁금하여 사이

버대학에서 경영학을 공부하는 중이었다. 경영은 이윤을 남기는 것이다. 이참에 '나만의 인생 지도'속에 가정 경영의 필요성을 만들어 인생의 이윤을 남기기로 다짐을 했지만 행동이 나오지 않았다. 단순한 경영은 숫자일 수 있지만 돈을 버는 일이 제일 버거웠다. 일, 직업, 가족, 건강, 공부, 돈, 미래를 두고 보면 나는 돈을 우선시하고 싶지는 않으나 하루하루는 돈이 필요했다. 일은 업이 되어야 하고, 업에는 나의 순수한 열정과 철학이 가치로 있어야 하는데 나의 일을 찾지 못하고 돈 때문에 이리저리 휘둘리고 있었다.

이때 큰 아이는 삼 수도 모자라 전공이 맞지 않다고 대학을 졸업하지 않으려 했다. 대학 6년을 다니는 동안 다시 전공을 찾고 있었다. 둘째는 교환 학생으로 나가더니 워싱턴서 한 해 더 있고 싶다고 처음으로 돈을 좀 보내 달라 하고, 셋째는 자동차 디자인한다고 나를 설득시켜 미국까지 대학을 찾아가더니 1학년 이후는 적응을 힘들어하고 날개가 없기는 모두 매한가지였다. 다시 화장품 회사를 인수하여 두 팔을 걷어부치고 일을 했다. 남는 이윤이 없어도 최소한 십만원이라도 회사 직원들과 나눔을 결심했다. 성격상 나의 행동을 좀 더 펼칠 필요가 있었다. 회사 경리가 일본 있을 때 우동집에서 일을 했다는데, 주인집 배려로 그 댁에 머물면서 돈을 모을 수 있었다는 이야기가 훈훈하게 들렸다. 야간 대학 다니는 경리직원한테 장학금으로 매달 조금씩 주어야겠다고 결심을 했다. 대리점 사장님 가족

중 경제 사범이 있었는데 그분은 차가 없어 새벽 6시 반부터 주 1회 교도소 면회 다니는 손발이 되어 주기로 하고, 그 외에도 이런저런 일들로 바빠 일요일 없이 일을 할 수밖에 없었다. 남에게 돈이란 것을 빌릴 수 없는 성격에 더 이상의 어려움이 온다면 벼랑 끝에서 넘어지는 게 뻔했다. 대출이 많아 아이들 학비와 이자 감당이 안 되어 나를 위로하는 건 그나마 책이었다. 아쉬운 소리도 못하고, 돈도 빌릴 수가 없고 빌려 본 적도 없었다.

당시 내가 제일 믿고 오래된 동네 분에게 '그럴 리 없지만 내가 우리 아들 등록금을 미쳐 내지 못하면 돈을 빌려줄 수 있어요?'하고 물어본 적이 있는데 그 사람은 바로 대답을 하지 않고 한참 후에 그럴 수 있다고 대답했다. 그 일은 내가 살아가는 데 돈에 대한 지침을 만들어 주었다. 궁한 돈 이야기는 남과 하는 게 아니고, 돈을 빌려야 한다면 자신에게 빌리고 못 빌리면 몸으로도 때워 이겨내야 한다는 생각이 들었다. 자기 분수에 맞게 사는 것이다. 그 분은 저축이 일상이었고, 성실한 남편이 벌어주는 돈을 알뜰하게 모아 몇 개의 빌딩을 가지고 있었다. 그 역시 집을 살 때도 대출 없이 수십억도 현금으로 사는 분이었으니 내가 존중하는 유일한 돈의 스승이 된 것과 같았다. 나는 그분의 짧은 뜸을 들이는 몇 초를 기다리는 동안 인생의 항로에서 돈에 대한 새로운 각오를 하게 되었다.

집을 팔아 아이들 공부를 시켜야 하나 생각도 했지만 공부도 결혼도 땅이거나 집을 팔면 아이들은 그것 팔았다는 위축이 들어 평생 꼬리표가 따라다닌다니 팔 수도 없었다. 돈이 없으니 어느 날은 하나 은행 지점장님을 집으로 초대해 내가 사는 모습을 보여주고, 일억원을 더 빌린 적도 있었다. 그 미안함으로 작은 도움이 되려고 그분을 따라다니는 단골이 되어 지금은 친구처럼 지낸다.

어느 날 새벽은 기도하듯이 혼자서 참새 철학을 읽으러 왕복 두 시간을 새벽에 그곳에 갔다가 회사로 출근을 했다. 아이들에게 그곳에 가서 맛있는 밥 사 먹고 산책하고 오라고 권하기도 했다. 아들이 가끔 한국에 오면 공항 가기 전 새벽에 들러오는 길에 서초동 스타박스에서 아들만 커피를 사주기도 하였다. 그곳은 나에게 살아가야 하는 의미를 날개로 가르쳐 준 곳이 되었다. 누가 좋은 일이 있어도 힘든 일이 있어도 그곳을 안내했다. 다녀 본 분들은 좋아했지만 그곳은 풀들이 많아 어느 때는 뱀도 만났다. 내 마음속의 간절한 아름다운 두 날개 이야기를 정작 아이들에게는 직접적으로 하지 않았다. 그곳은 데려가고 차 마시고 밥 먹고 그냥 둘러보는 곳이었다. 사진 한 장도 안 찍고 숲을 오르고 언덕을 올라가 한번 둘러보는 곳이었다. 아이들이 이미 세상에서 충분히 자기의 나아 갈 방향을 고민하고 부딪히고 있다는 걸 알고 있고, 행여 엄마와의 관계가 그로 인해 잔소리로 흘러버릴까봐 조심했다.

참새 철학을 만나면서 알게 된 것이다.

날개는 내가 만들고
날개 깃털은 접고 싶을 때 내가 접는다.

그 날개가 돈이든
꿈이든
살아가야 하는 이유는 내 안에 있고
날개의 깃털 하나하나 안에는
열정이 나를 키워 줄 뿐이다.

날고 싶을 때 날 수 있는 건
준비가 필요하고
내가 세상에 온 이유가 된다.

경영은
배고파 우는 소리이며
기름이 떨어져 차량을 운행 못 하는 소리이며
넘어져 다시 일어나는 내면의 얼음이 깨지는 일이며
길 가다 넘어진 사람 손 잡아주는 행위이며
긴 시간이 지나면 꽃들이 모인 꽃밭이며

나무가 심어진 산이 된다.

경영은
자기를 알아가는 과정이며
자기를 먼저 보살 필 수 있어야 한다
어른이 되는 경영은
세상 끝 날 때까지 공부하는 학생이어야 한다.

오늘은 시골 아버지께 다녀왔다. 한 달에 한두 번 다녀온다. 방 청소를 하는데 아버지 발의 때를 보게 되었다. 남동생들이 오면 항상 목욕을 시켜드린다. 아버지 얼굴과 손까지는 따뜻한 수건으로 닦아드려도 아버지 발을 씻어 드리려 하니 망설여졌다. 발 씻어 드리지 못하여 나중에 후회할까 봐 처음으로 아버지 발을 만져보았다. 잘 생긴 아버지였는데 40kg이 안 되니 발도 앙상하다. 대야에 따뜻하게 발을 담그니 기분이 좋으셨는지 당신 발이 참으로 고생을 많이 했다고 말씀하신다.

'내 발이 참 고생을 많이 했어. 고생했고 말고. 농사를 짓다가 겨울이면 나무 팔아 땅 사는 게 재미가 있었어. 해 마다 땅을 샀어. 너무 못살았거든. 밤낮없이 일만 했지.'

독백처럼 들렸다. 그 뒷이야기는 내가 자라면서 듣고 봐 왔기에 안다. 칠 남매 대학 공부시키는데 힘에 부쳐 소를 키워서 학비를 보태고 막내동생이 한의대 다닐 때는 학비 마련을 위해 경험이 없던 담배 농사까지 하여, 한 철이 끝나면 엄마는 몸 겨누운 적이 있었다. 지금 아버지는 시골에 혼자 계신다. 아흔둘을 맞이하는데 남과 타협도 모르는 외골수다. 우리 할아버지는 옛날 공무원이시고 증조할아버지는 서당을 하셨는데 할아버지가 술을 좋아하여 자식 공부를 하나도 안 시켰다. 살림을 아예 말아먹은 것이다.

아버지는 배우지 못하였다. 살면서 땅 사는 게 젤로 재미가 있었고, 두 번째가 아이들 공부를 시킨 것이 좋았다고 하신다. 고생을 강조하셨다. 고생은 했지만 이루어 낸 거에 자신감이 있으시다. 나는 살면서 마음이 아프고 어려운 적은 있지만 그 걸 고생으로 여기진 않았다. 단지 두어 번 정도 눈물이 주르르 흐른 적은 있다. 아이들 셋 공부시키는 데도 힘 드는데 우리 부모님은 농사를 지어 어떻게 이겨 내셨을까? 그 생각이 들 때는 한 번 더 매출을 올리는데 열정적으로 살아 낼 수 있었다.

아버지는 나보고 '너는 고생을 해봐서 알지만'을 두 번이나 하시는데 내가 고생이라 여기지 않아도 부모님 마음 안에는 내가 고생한 거로 느낀다는 생각이 들었다. 형제들은 아버지가 먼 길 떠나실 때 조금이라도 도움이 되고 싶어 최대한 자주 뵈러 오려 한다. 눈감을 때 우리들과 함께한 추억으로 덜 아프길 바라는 마음이다.

영혼을 담은 살아있는 동안의 육신은 대단한 일이다. 몸이 있으면 서로에게 맞는 마음도 나눌 수 있고, 발도 직접 만지고 씻을 수 있다. 살아있는 오늘로 아버지와 나는 함께 인삼 덮밥도 맛있게 먹고, 오늘 발을 안 시켜 드렸다면 이런 얘기는 듣지 못할 것인데 씻어 드리니 나름 미안해서 하신 얘기이나 나에게는 아버지 얘기가 참새 철학과 별반 다르지 않게 들렸다.

엄미리 계곡의 참새 철학은 내가 어디든 가고 싶을 때 스스로를 안내하는 영혼 깊숙이 자리 잡아주는 언덕의 길잡이가 되었다. 그리고 혼자서 훌쩍 다녀오는 길이 되었다.

　지금 나의 날개 깃털을 만드는 일은 평생 하고 싶은 공부로 성장하는 일이다. 하고 싶은 운동을 하여 건강한 몸과 마음을 가꾸는 일이다. 지금은 백세 시대이기 때문에 공부가 필요하다. 직업공부보다도 사람이 어떻게 성장하고, 어떻게 살아가야 하는지 그 이유를 찾고, 그것을 나다움의 행동으로 표현하여 어른의 몫으로 살아가는 일이 중요하다. 우리 아이들이 어른이 되어 옳은 방향을 찾아가는 과정 중에 힘든 시간이 많을 것이다. 안 되는 것 같지만 되고 있다는 것을 아이들이 아닌 나이 든 나는 알겠다.

　가장 캄캄한 칠흑 같은 어둠의 터널 속에 있어 보면 어딘가 불빛이 분명히 있다. 그게 나에겐 참새 철학이었다. '자기 날개로 날아야 아름답습니다. 참새가 날 수 있는 건 날을 수 있는 날개가 있기 때문입니다.'라는 글귀가 그렇게 나를 붙잡아주었다. 내가 수없이 실행하고 넘어진 자리가 내 자리를 만드는 기초가 되었다. 하다가 그만둔 수많은 실패의 이름은 실패가 아니다. 내가 다시 찾아주면 나의 길로 재탄생하는 구슬을 꿰어가는 길목일 뿐이다. 실패라고, 낭패로 여긴 쭈그러진 구슬이 나와 손잡을 수 있는 놀라움은 나와의 인생 속에서 이루어 진다는 걸 뒤돌아보니 알 수 있었다.

아버지는 마음의 소원이 가난을 벗어나고 싶을 때면 할 수 있는 것부터 해보셨다. 아버지는 새벽이면 들로 산으로 다니셨다. 아버지를 찾아뵌 날, 처음에는 내가 누구인지 모르다가 차츰 정신을 차리시더니 나를 알아보고 살면서 느낀 마음의 얘기를 꺼내 놓으셨다.

삶이 녹녹하지 않아서 힘들 때가 있다. 끈 떨어진 연 같을 때도 있고, 잘해보고 싶을 때 안될 때가 더 많다. 취업의 문이 그렇고 꿈 찾기가 그렇고, 목표가 이루어지지 않을 때가, 하루를 놓칠 때가 그렇다. 그것은 되어가고 있는 방향임에도 안된다고 느껴질 수 있다. 좀 안되면 어떨까? 참새도 나무 위에서 쉴 때가 있다. 날개가 있다고 매시간 날지는 않는다. 농부가 밤낮 일한다 해도 비 오는 날이나 달콤한 낮잠 시간도 있다. 쉬면 또 다른 에너지도 나오고 좋은 생각이 우리를 키울 수도 있다.

우연히 내 눈에 뜨인 곳이 어느 골짜기 글귀이듯, 오늘 아버지 발을 씻어 드리는 동안 '내 발이 고생했다'는 진솔한 속 깊은 소리는 먼저 산 분들의 내면의 소리를 밖으로 드러낸 날개를 만들어 날아 본 이야기다. 깃털을 하나하나 키우고 자라게 하여 날다가 나무에 부딪히기도 하고, 바위에 떨어지기도, 골짜기에 처박히며 수 없는 날개 짓으로 날아 본 얘기였다.

인생이 무엇이라고? 자기 목소리를 찾아가는 건가? 내가 가야 하는 방향은 있어도 선 뜻 손 내밀지 못한 실패한 듯한 자신을 바라보는 것, 넘어진 것보다는 일어나는 용기로 웃어주는

힘? 내가 누구인지, 언제 어디서 누구의 영향을 받을지 그것 또한 나의 몫이다

살아있는 동안 삶을 가꾸는 힘은 스스로의 날개로 날아 보는 날개 짓이다. 두 날개를 만들어 보는 삶은 내일로 이어진다. 삶 안에는 보이기도 하고, 때로는 보이지 않는 에너지가 있는 아름다운 날개의 깃털을 만드는 이곳이 세상에 온 이유가 아닐까?

'자기 날개로 날아야 아름답습니다.'

마실 가듯 한 이별

　23년 전 그날은 일요일이었고 내 생일날이었다. 직원들의 단합을 위해 북한산 새벽 등산을 오르며 현관문을 나가는 남편은 나의 생일이니 맛있는 저녁 먹자고 예약하라며 집을 나섰다. 그가 좋아하는 재첩국과 밑반찬, 일행들과 함께 나누어 먹을 배 몇 쪽이 든 등산 도시락이었다. 그것이 우리 가족과는 영원한 이별이 되었다.

　열 한 시 반쯤 집으로 전화가 왔다. 구급 대원이 놀라지 말라며 나의 신원을 확인했다. 지금 상태가 어떠냐 물으니 호흡곤란으로 강북성심병원으로 이송 중이라 하였다. 다리를 떨면서 택시를 탔다. 응급실에 도착하니 남편은 링거를 꽂고 있었다. 큰소리로 남편을 부르니 대답이 없었다. 머리가 하얘진 상태로 링거 수액을 쳐다보니 수액이 들어가지 않고 있었다. 쓰러지지 않으려고 침대를 잡았다.

그는 그렇게 우리 곁을 떠났다. 심근경색이 병명이었다. 새벽에 등산을 떠난 그는 아이들도 보지 못한 체, 우리도 없는 사이 혼자서 먼 길을 떠났다. 평소 그는 코끼리는 덩치가 있어도 죽는 모습을 보이지 않으려고 혼자서 무덤을 판다는 얘기는 했다. 코끼리도 아니면서….

내가 울고불고하는 사이 남편은 잠시 보이지 않더니 구급차로 옮겨지고, 구급차에 실려 강남 성모 병원으로 오는 사이는 둘만의 시간이 되었다. 배에 엎드려 울었다. 실컷 울 수 있는 시간이 지금뿐이라는 것을 알았다. 아이들이 알면 울 수도 없을 것 같았다. 흐르는 눈물이 남편의 배 위 시트를 적셨다.

'어떻게 살아가라고.' 소리 내어 울었지만 지금 생각해 보면 가는 사람이 슬퍼서도 울었으나 내가 살아갈 길이 막막하여 '나는 어떻게 살아가라고.'가 무의식에서 나오지 않았을까? 라는 생각이 들었다.

사람은 없고, 떠났는데 아이들에게 알릴 수가 없었다. 중간에 지인이 '너희 아빠는 등산을 가다가 다리를 다쳐 병원에 계신다.'는 얘기를 했다는 것이다. 날은 어두워지고 아빠의 부재를 알려야 했다. 용기를 내어 큰 아이를 찾았다.

'○○야, 거실 벽에 걸린 아빠 박사 사진 가지고 성모 병원으로 와.' 친척이 아이들을 영안실로 데려왔는데, 아빠를 부르며 울고, 찾느라 난리가 났다. 주변 사람들의 얘기를 들어보면 6학년이 막 된 아들이 창자가 튀어나올 정도로 슬프게 울었다는 것이다. 준비되지 않은 생이별 속에 그는 떠나는 사람이 되었다. 남편이 어렵고 힘든 일을 해야 하는데 이제는 없었다.

혼자 일을 처리해야 했다. 그의 삶을 우리와 함께 나누며 살다 육신만 남겨둔 체 없는 존재가 되었다. 나에게 남편이 얼마나 필요한지, 아이들에게는 얼마나 간절한 사람인지 아이들이 아빠 찾는 소리가 들리는지…. 이제 우리들은 다시 각자의 삶을 키워가야 했다. 혹독한 인생살이는 사랑이라는 단어로 엮어진 채 그는 우리 곁에서 없어진 존재가 되었다. 우리의 삶은 세상에서 살아남아야 하는 생과 사의 이별의 선 긋기에서 우리 가족은 오열했다.

염을 하고 입관할 때 고민이 컸다. 아이들에게 아빠는 따스한 햇살이었고 늘 올라탈 수 있는 꿈의 사다리였다. 헤어져야 하는 모습을 아빠와의 마지막 모습이라며 보여 줄 수 없었다. 그렇게 헤어지게 할 수 없었다. 어른인 나도 감당 못 하는 슬픔과 이별의 아픔을 어린 저 아이들에게 보여줄 수 없었다.

아이들이 아빠와 함께 한 시간 속에서 그걸 가지고 사는 게 더 나을 것이란 결론을 지었다. 눈 감은 그에게 아이들 왔다고, 마지막으로 아이들 한 번 더 보라 한다 해서 그가 일어날 것인가? 가고 옴의 현실을 내가 어떻게 바꿀 수 있는가?

사는 동안 우리 가족이 간직한 일들을 살아있는 생전의 모습 그대로 간직하는 것이 아이들에겐 더 좋을 것이라는 생각으로 굳혔다. 마지막이라도 누워 있는 모습을 보여 더 울게 하고 더 슬퍼야 하는 건 아니라고 여겼다.

영안실에서 아이들과 문상객을 맞는 일도 참 버거웠다. 차라리 없어지고 싶었다. 아이들이 성모 병원에서 태어났고, 특히 셋째 아이가 태어날 때는 시어머님이 손주를 안고 퇴원을 하는 축하의 날들이 있는가 하면 남편은 영안실 1, 2 호실에서 장례를 치르는 게 인생이고 일상이고 살아가는 일인가? 자연의 꽃들이 피고 지듯 삶도 그렇게 피어나면서 서리도 맞고 오는 봄에서 눈발이 날리는 매서움의 현상인가?

세상에서 아빠가 제일 좋다는 큰딸은 학교에 다녀오면 현관문을 열면서 끝없는 이야기가 오간다. 그 아이는 아빠만 있으면 만사가 오케이다. 아이들은 엄마는 무서워하면서도 아빠는 친구 대하듯 했다. 어떤 이야기도 자기편이 되어주는 세상 편한 자신들의 오른팔이었다. 당시 나는 아이들 키우면서 힘든 일이 있거나 어려움이 있을 때 아이들의 성장을 위해 그런 넉넉한 남편의 성품을 자주 빌렸다.

큰 아이가 사춘기가 찾아왔을 때 바지가 있는데, 리바이스 청바지를 또 사 달라고 조르면, 엄마는 단호하게 안 사주지만, 아빠는 기회를 만들어 선물했다. 둘째가 수학 점수가 떨어져

야단치고 혼내면, 그 아이 마음을 달래 주려 남편은 아이 편이 되어 기를 살려주어 환한 마음으로 채워주었다. 셋째가 이구아나 사 달라고 조를 때 엄마는 비싸서 안 된다고 딱 잘라 말하면 시간이 지난 어느 날 아이와 함께 우리 모두 이구아나도 사고 함께 외식하고 오는 날이 되어주는 기쁜 날로 만들어 주었다.

큰딸은 아빠의 성격과 얼굴 모습도 그대로이다. 그런 아빠가 좋아 언제나 더 공부하려 애쓰는 성실한 딸에게 아빠가 없는 세상이 되었다. 둘째는 언니와 남동생에게 치여 자주 울었다. 포대기로 업어주고 안아주고 살 냄새를 나누었다. 칭찬이 받고 싶어 일곱 살 때부터 아빠 밥상도 차려주고 의자 딛고 올라가 설거지도 했다. 초등 2학년 때부터 가슴 생긴다고 아빠에게 만져보라 하여 아빠 입장을 난처하게 만든 둘째 딸이었다. 셋째는 언제나 있는 둥 마는 둥 한쪽 귀퉁이에 들어가 책 속에 빠져 있었다. 아빠에게는 큰 믿음을 주었으나 멸치를 안 먹어 혼이 난 적이 있었다.

살면서 생긴 우리 집만의 자잘한 일상이 추억이 되었고, 숨 쉬지 못하는 아빠를 아이들에게 보여주는 건 힘들었다. 늠름한 자는 듯한 저 모습을 마지막이라 말하며 아이들을 데려오고 인사를 시켜야 하나? 세상 누구보다 아빠 없이 못사는 아이들 두고 그는 어디로 떠나려 하나, 어디로 먼저 가버린 걸까?

반포 면옥에서 돼지 갈비 먹고 배부르면 놀이터에 가 우리 넷을 그네 태우면 밤하늘의 별도, 달도 함께 하였다. 밤늦도록 떠들고 까불고 동네 시끄럽게 함께 놀아 준 아이들 아빠, 침대 위에 아빠 눕혀 놓고 돌아가며 청진기 꽂아 가며 아빠는 환자가 되고 병원 놀이도 열심이었다. 목욕탕에서 아이들 씻어주고, 방학 되면 함께 여행 다니고, 마냥 앞으로만 진행되어야 할 일상이 멈춘 시간이 되었다.

그는 삶을 마감하려 한 것인지 평소의 일상을 유지하고 있었다. 생의 마지막 날 금전 출납부와 일기도 기록하고, 한 학기 강의 계획서도 가방에 고스란히 있었지만, 우리 곁을 떠나는 것은 일상이 아니었다. 마치 이웃집 마실 가는 듯한 이별은 그렇게 찾아왔다. 현실의 오늘과 내일은 남편과 아이들의 아빠로서 더 이상의 삶은 주어지지 않았다. 우리 가족은 이런 현실을 터득하고 일어서는데, 오랜 시간이 걸렸다. 빈자리를 느낄 때 가끔 시를 썼다.

슬픔

(2014년 남편 기일 14주기,
시화집 〈마음에 다닌 길〉 중에서)

슬픔이 슬픔에게 말했다

슬프냐고

그냥 눈물이 난다고 말했다

몇 년이 지난 뒤 아직도 슬프냐고 물었다

하늘의 구름이 낀 거 같다고 말했다

또 몇 년이 지났다

아직도 슬프냐고 물었다

구름이 걷힌 거 같다고 말했다

어쩌나

(2017년 남편 기일 17주기,
시화집 〈마음이 다닌 길〉 중에서)

남편이 떠나 가셨네 떠나버렸어
아이 셋 두고 떠나갔어
바람도 아니거늘
구름도 아니거늘

사랑은 무엇이고
언약은 어찌하고
떠난 자와 남은 자의 선 긋기로 하늘만 쳐다보고

17년의 시간 속에
아이들은 어른이 되었고
영혼은 그 시간을 맴돈다
마흔 네 살이든 나는 떠남에 대하여
준비 없는 이별의 공간에
헛헛하게 쌓아보는 나의 일기장

벌초伐草

(2022년 11월 14일)

덜컹
가슴이 내려앉고
내가 무너지는 날
휘이 휘이
그는 우리 가족을 떠났다
그날 그렇게 세상을 떠났다
어린아이 셋과 날 남겨두고
울어서 그가 돌아온다면
내가 무너져 그가 돌아온다면
아이들 결혼식 날 하루만 다녀갈 수 있다면…

황천길은 참
멀고 먼 길이다
그는 바람 속에서
풀숲에서
계절의 한 귀퉁이에서
명절을 앞두고
날 불러 낸다

장례를 치르고 무너질 것 같은 나날 속에서 문상 오신 분들께 만나서 하는 식사 대접이나 인사는 엄두도 못 내고 편지로 감사의 마음을 전했다. 가신 분의 뜻을 받들어가겠다는 생각이 들었다. 이사 가지 않고 머물며 동네에서 그대로 살아 동네 분들께 우리들의 사는 모습이 선물이 되도록 살아보려는 마음의 결심을 전했다.

남편 제삿날이 지나면 바로 내 생일이다. 떠나기 전 남편은 산천 보세 난을 선물로 받아와 좋아했다. 난은 그가 떠나도 해마다 뿌리도 내리고 향기 나는 꽃을 피워 제삿날이면 난의 향기를 맡으며 어느 때는 남편이 난으로 온 것인가 생각이 들기도 했다. 그런데 십여 년이 훌쩍 지난 어느 날부터 잎이 누렇게 변하여 전문 난 화원에 맡겼으나 죽고 말았다. 살아있는 생물이 없어지는 경험을 또 느꼈다. 난도 자라다 없어지고 사람도 살다가 떠나는 것을 보며 사람도 자연의 일부라는 걸 느꼈다. 그 사이 아이들은 어른으로 성장하였다.

제삿날이나 어버이날, 명절 때가 되면 우리 가족은 편지를 많이 썼다. 결혼하거나 기쁜 날, 우리는 감사 인사와 편지를 전했다. 아이들이 외국을 오갈 때도 인사를 드린다. 부칠 곳 없는 편지가 쌓였다.

그 안에는 아이들의 성장 이야기, 전공을 찾아가는 일, 결심들, 어려운 일을 풀기 위해 아빠와 상의하는 내용이 있다. 아빠에 대한 마음이 주소는 없을지라도 마음의 전달이 이어지는 곳은 에너지와 성장이 되지 않았을까 생각해 본다. 반성하는 부끄러움이든, 넋두리든, 계획이든 방대한 아빠와의 필요한 시간이 편지를 통하여 가장 높은 어느 곳으로 전달되었을 것이다. 우리 집만의 가족 이야기다. 핏줄의 정을 편지로 전하는 그곳은 어떤 곳일까?

아이들이 자라 결혼을 할 때는 마음이 어렵다. 그랬다. 한 번만, 한 시간이라도 다녀가면 안 될까 하는 생각이 간절했다. 셋째가 결혼할 때는 예단을 아빠에 대한 정성으로 세상의 나눔으로 만원부터 시작하라고 일렀다. 시간이 흐르는 사이 슬픔이 없어지는 것은 아니나 남편의 부재는 많이 가벼워졌다. 세 아이 모습에는 각각의 남편 모습이 있다. 생존했기에 아이들이 태어났다. 사람의 일생에서 나도 지금은 살아가고 있지만 언제인가 없음의 부재가 될 것이다.

이 세상 살아있는 동안은 가족의 끈이 있다. 가정 안에서 일상을 매일 쌓아가고 있다. 남편의 부재 속에서 안타깝고 시린 마음을 가족이라는 이야기로 적어보았다. 어린아이들 앞에서 아빠의 비보를 알려야 하는 엄마 아픈 마음이 나를 살게 하는 용기로 바꾸어 주었다. 우리는 태어나면 자라고 때가 되면 사랑하는 사람을 만나 가정을 이룬다. 가족이라는 살아있는 작은 공간에 함께 숨 쉬고 함께 느끼는 오늘은 내일로 이어지는 삶의 현장이다. 가족을 통한 삶의 공동체 안에는 매일이 좋은 날

만 있는 건 아니다. 살아가고 살아내는 동안 이 에너지는 피어
나는 꽃이고 열매를 맺는 동안의 많은 날을 함께하는 여름날의
바쁜 축제가 가정이라는 울타리가 아닐까?

　바다의 물고기가 마음껏 헤엄치듯, 숲 속의 풀과 나무와 꽃
이 자라듯 ….

매화길

매화 찾아 산길을 오르는데
매화는 찾지 못하고 내려왔다
어디 선 가 향기 있어
희고 환한 매화가 반겨주었다
꽃잎에 햇살이 머물고
퇴계 선생이 혹애惑愛 하든
매화의 수백 년이 지난 향기
아는가 모르는가
매화와 나 사이
시간이 지나
퇴계 선생이 그립고
매화 향기 사무치면
빈 가지라도 바라보며
바람에게 편지라도 쓰야겠네

사랑

아침에 본 목련이
오후 나절에 떨어지고 있습니다.
사람도 자연이고
사랑도 자연인가?
지워지지 않은 사랑이
꽃잎 속에 묻어갑니다

배추를 절이며

배추를 절이다 엄마 생각이 난다

양지바른 텃밭에

배추씨 뿌려

벌레 잡으며

짚으로 묶어 속고 갱이 키우고

찹쌀풀 식혜 갖은 양념 버무린 김치

항아리 채 땅속에 묻고,

눈 쌓인 독 위로 참새가 다녀가고,

살얼음 낀 김치는 입안에서 사르르

일곱 자식 키우기 버거운 엄마

김치는 겉 푸른 잎이 맛있다 하는

속속히 허기로 살다 간 세월

시간이 흘러

어쩌다 찾아오는 자식이 반가워

싱글벙글 웃음 짓는 엄마

마디 굵어진 손가락에 반지라도 끼워드릴걸

요즘 아이들 김치 찾을까 배추를 절인다

세월이 가면

슬퍼 말아요

봄 오고

봄 가고

지금껏 살아온 세월

흐르는 물 같지요

울지 말아요

슬퍼 말아요

새 잎의 눈뜸에 가슴 설레었고

꽃잎 열릴 때 우리도 꽃으로 피어났어요

소나기 소리에 잠을 뒤척이며 아침을 맞았고

달빛이 가득한 밤

꿈 빛에 젖었어요

울지 말아요

슬퍼 말아요

오늘도 우리를 맞는 햇살에 바람이 느껴지지 않나요?

새들이 푸득이며 나무 위를 날지 않든가요?

울지 말아요

슬퍼 말아요

삶이 흔들릴 때 내안의 내가 그리워 시를 쑵니다
삶을 바라보며 참 들길 훈자

다림질

속마음, 겉마음이 한결이게 하소서
다림질 순간순간이 깨어남이듯
나의 삶도 다림질 되게 그러하게 하소서
어설픔이 펴지고
이그러짐이 반듯해지고
구겨진 삶의 조각이 다림질 되듯 하소서
내가 다리는 옷들의 보살핌이 다림질이듯
내 삶도 스스로의 다림질로 깨어 있게 하소서
헌 옷의 다림질에 오래된 내음 베어나듯
삶도 그러하게 하소서
한마음 보살핌이 다림질로 내가 되게 하소서

어떤 사람이 나를 설레게 하는가

우리는 언제나 밖을 본다. 그리고 멀리 있어 손에 잡히지 않는 것들을 갈망한다. 타인을 바라보고, 세상을 바라보고, 외부의 기준을 살피느라 늘 분주하다. 그렇게 우리의 시선이 밖을 향해 있는 동안 우리는 자신을 잃어버린다. 아니 어쩌면 처음부터 자기에 대해 알아볼 생각을 하지 않았으니 잃어버렸다는 표현은 어울리지 않는다. 우리는 자신을 알지 못한다. 자신을 모르는 사람들끼리 만나 서로를 알아가려 하는 모습은 그래서 애처롭고 불안하다. 스스로를 모르는데 타인에게 나에 관한 무엇을 설명할 수 있을 것이며, 뿌리와 토대를 모르는데 무엇을 쌓아갈 수 있다는 말인가. 알아간다는 것은 무엇이며 우리는 어떻게 한 사람을 알아갈 수 있을까. 혼자 상대를 미루어 짐작하거나, 제삼자나 당사자의 입을 통해 그 사람에 대해 듣는 것,

이 두 가지 방식으로 우리는 누군가를 알아갈 수 있을테다.

사람과 사람이 만나 서로를 알아가는 과정을 그려보자. 처음에는 겉으로 드러나는 모습을 통해 대강 짐작해본다. 저 이의 말투와 표정, 사물과 사람을 대하는 태도, 갈등에 대처하는 모습, 아르바이트생을 대하는 태도, 몰고 다니는 차, 사는 동네, 옷차림, 직업, 사용하는 휴대전화, 이슈를 바라보는 자세, 정치적 포지션, 부모나 절친한 친구와 통화를 할 때의 말투나 사용하는 단어, 죽은 동물을 바라보며 짓는 표정과 영화를 보고 난후 나누는 감상, 이런 것들을 종합하여 우리는 한 사람을 미루어 짐작한다. 하지만 우리가 한 사람을 두르고 있는 물질적 혹은 비물질적인 유산의 일부를 알아챌 수 있다고 한들, 그것이 정녕 그를 제대로 알고 있다고 말할 수 있는 근거가 될 수 있을까. 절대로 그렇지 않다. 그런 힌트들은 그저 통계의 범위 안에서 대강의 특징만을 그려낼 수 있도록 아주 조금 도울 수 있을뿐이다. 하지만 통계에는 늘 예외가 있다. 게다가 수많은 조건이 조합되면서 경우의 수는 무한에 가까워진다.

그렇다면 한 사람을 뿌옇게 미루어 짐작하는 것에서 조금이나마 더 선명한 색을 입히기 위해서는 필연적으로 그 사람의 입을 통해 본인이 자기를 어떤 사람이라고 생각하는지 들어볼수밖에 없다. 여기서 바로 한 인간에 대한 나와 타인 간의 인식 차이가 발생하게 된다. 밑천이 얕은 사람들, 자신을 깊이 들여다보지 않은 사람들은 자신에 관해 타인이 겉으로 대강 훑어봤을 때 짐작할 수 있는 얼마간의 정보 이상의 것을 결코 타인에게 줄 수 없다. 자기를 들여다본 적이 별로 없기에 금세 퍼 올릴 것들이 바닥나기 때문이다.

하지만 자신을 들여다볼 줄 아는 사람들은 슬픔이건 고독이건 기쁨이건 희망이건 끊임없이 무언가를 퍼 올린다. 그런 사람은 매력적이다. 여전히 자신에 대해 궁금하기에 늘 눈이 빛나기 때문이다. 그렇게 늘 분주하게 자기를 탐구하는 사람들은 자신에 대해 할 말이 많다. 그리고 자기를 설명해보라는 타인의 요구 앞에 언제든 자신의 것을 늘어놓을 준비가 되어있다. 그것이 사람을 알아가는데 필수적인 과정이라고 생각하기 때문이다. 타인을 받아들일 준비가 되어있는 사람들은 자신의 정보를 드러내는 것을 두려워하지 않는다. 그와 반대로 자신을 바라볼 줄 모르는 사람들은 매력이 없다. 관계를 맺고 그에 대해 짐작하는 데 시간이 그리 오래 걸리지 않기 때문이며, 그 사람의 입을 통해 나오는 내용 역시 빈천하여 금세 그에 대한 궁금증이 사라져 버리기 때문이다. 그리고 그것은 곧 한 사람에 대해 모두 알게 되었다는 오만한 생각을 하게끔 만든다.

스스로를 바라볼 줄 모르는 사람들끼리 마주 보는 상황이라면 차라리 다행일지도 모르겠다. 서로가 대강의 모습만 스케치하며 그것이 전부라 여기고 살아가면 될 테니 말이다. 하지만 그들 중 스스로를 바라보는 사람이 생겨나기 시작한다면 그것은 머지않아 문제가 된다. 자신을 들여다보기 시작한 사람들은 고독해진다. 자기 내면을 들여다보면 볼수록 모르고 있던 자신에 대해 점차 깨닫게 되고, 자신에 대한 앎이 깊어질수록 타인에 대해서도 더 깊이 알고 싶어지기 때문이다. 그리고 곧 그것이 진짜 관계 맺음이라는 것을 깨닫기 때문이다. 하지만 자신을 들여다보지 않는 사람들은 결코 자신에 관해 설명해 낼 수 없으므로 들여다보려는 사람이 원하는 깊은 관계로 들어설 수 없다. 또한 자신을 들여다보기 시작한 사람들은 자신만큼 타인 역시 자기 내면을 들여다봐 주길 기대하게 된다. 내 안에 이런 다채로움이 존재한다는 것을 알아채 주길 바라기 때문이다. 서로서로 알아채 주는 것. 그것이 바로 관계 맺음의 본질이다.

　자신을 들여다볼 줄 아는 사람이 좋다. 나만 보는 사람 말고 나를 볼 줄 아는 사람이 좋다. 그런 사람을 마주하고 있을 때 설레는 감정을 느낀다. 이성에게 연정을 느끼는 설렘과는 또 다른 설렘이다. 그런 사람은 귀하다. 수가 적어서 귀하고 가치 있기에 귀하다. 그런 귀한 사람들 사이에서 살아갈 수 있는 삶은 이루 말할 수 없을 정도로 귀하다.

쓸데없는 일도 좀 해야지

쓸모라고 여긴 것은 내가 누구인지 알려주는 표식이 아니라 내가 누구인지 알 수 없게 만드는 짐이었다. - 몸이 말하고 나는 쓴다.

쓸모란 무엇인가. 어떤 목적을 달성하기 위한 수단이다. 작가의 말처럼 우리가 보통 쓸모 있다고 생각하는 것들은 대부분 수단적 성격을 띤다. 망치의 쓸모는 못을 박는 데 있다. 못을 박지 못하는 망치는 쓸모없는 망치가 된다. 쓸모없는 망치는 즉각 고물상에 가야 하는 신세가 된다. 못을 박지 못하는 망치로 무엇을 할 수 있겠는가. 연필깎이의 쓸모는 무엇인가. 연필을 깎아내는 데 있다. 오래도록 연필을 깎아 칼날이 무뎌진 연필깎이는 어느 순간 연필을 깎아낼 수 없게 된다. 연필깎이의 쓸모가 사라지는 순간이다. 쓸모를 다한 연필깎이는 더 이상 연필깎이라는 이름으로 불릴 수 없다. 쓸모가 없어졌기 때문이다. 이처럼 사물은 쓸모의 유무에 따라 존재 이유를 부여받기도, 박탈당하기도 한다. 사물의 쓸모는 이미 보편적으로 받아들여져 굳어진 것들이다. 굳이 망치와 연필깎이를, 못을 박거나 연필을 깎는 것 이외의 용도로 사용하는 일은 없다는 것을 우리는 이미 알고 있다. 그 이외의 용도에 맞는 물건이 거의 모두 존재하거나 새로이 만들어지기 때문이다.

문제는 사물을 대할 때 사용하는 쓸모라는 기준을 인간에게까지 적용한다는 점이다. "쓸모없는 놈"이라는 말이 무서운 이유는 그런 언어의 감옥에 갇혀버린 사람들이 쓸모 있는 사람이 되기 위해 자신의 삶을 온통 쓸모와 효용을 기준으로 바라보고 움직이게 만들기 때문이다. 회사원의 쓸모는 회사 수익 극대화에 있다. 수익을 내는 데 방해가 되거나 수익보다 비용이 더 많이 들어간다고 판단되는 즉시 회사는 그 직원을 품을 이유가 없어진다. 쓸모없어짐과 동시에 그의 존재 이유는 사라진다. 이것이 어디 회사원뿐이겠는가. 대부분의 돈을 벌기 위한 일들이 다 그렇지 않은가. 회사원이건 자영업자건 공무원이건 전문직이건 모두 세상의 어떤 기준에 의한 쓸모를 강제당한다.

모든 업이 본연의 역할을 충실히 수행해야 한다는 것을 부정할 수는 없다. 다만 업의 쓸모에 압도되어 나를 잃어버리는 일만큼은 경계해야 한다. 일이라는 것은 사람의 생을 구성하는 중요한 요소이지만 그것이 결코 인간 삶의 전부가 되어서는 안 되기 때문이다. 유능한 의사, 유능한 교사, 유능한 변호사, 유능한 기술자, 유능한 강사가 되는 것은 모두 훌륭하고 의미 있는 일이지만, 그것만이 나를 규정하는 전부가 되어서는 안 된다. 유능해 보이는 사람들, 혹은 재력으로 어떤 쓸모 있는 사람이건 모두 기용할 수 있을 것처럼 보이는 사람들조차 간혹 극단적인 선택이나 우울과 불안에 잠식당하는 이유를 들여다보면 바로 그 쓸모에서 비롯된 허무, 혹은 본인이 설정한 쓸모에 도달하지 못했다는 좌절감 때문인 경우가 많다.

쓸모 있는 사람이 되지 못했기 때문에 필연적으로 좌절감이 찾아온다. 세상의 기준이건 자신의 기준이건 어찌 됐든 삶의 기준을 쓸모로 잡는 순간, 그 쓸모의 수준에 도달하지 못한 사람들은 필연적으로 좌절감을 맛볼 수밖에 없게 된다. 그렇다면 쓸모 있는 사람이 되면 어떨까? 그것은 삶의 공허와 허무를 이겨낼 만큼 강력한 치유제가 될 수 있을까. 하지만 쓸모 있는 사람이 된다고 할지라도 공허한 마음은 필연적으로 찾아온다. 마음의 풍요는 쓸모로 가득 채울 수 없기 때문이다.

그래서 우리는 쓸모로부터 거리를 둘 줄 알아야 한다. 아무 것도 할 줄 모르는 백치가 되라는 말이 아니다. 자기 앞가림을 하며 일에서 스스로 만족할만한 성취를 이루는 것은 중요하겠지만 그것만이 인생의 전부가 되어서는 안 된다. 쓸모 이외의 것들을 바라보기 시작할 때 진짜 나를 알아챌 수 있기 때문이다. 그것은 삶을 진짜로 살아갈 수 있게 만드는 힘이 될 것이며 삶 이후가 두렵지 않도록 만드는 용기를 심어준다. 쓸모로부터 자유로워질 수 있을 때, 비로소 설렘은 시작된다.

감각 자극하기

이제 갓 세상에 태어난 아기들은 오감을 통해 세계에 대한 지식을 획득한다. 만져보고 맛보고 쳐다보는 일은 아기가 스스로 할 수 있는 유일한 움직임이다. 동시에 자신을 부르는 소리에 귀를 기울여 자신과 외부 환경의 관계성을 파악하고 특정한 대상의 존재를 흐릿하게나마 밝혀나간다. 이렇게 우리는 태초에 감각을 통해 세상을 인지하기 시작했다. 하지만 성장을 하면 할수록 점차 감각보다는 이성을 통해 세계를 이해하고 정의 내리는 것에 익숙해진다. 그것은 품이 덜 드는 효율적인 방법이기 때문이기도 하고 위험이 적어 생존에 더욱 유리한 방식이기 때문이기도 하다. 매번 감각을 통해 세상을 인지하려 한다고 생각해보자. 얼마나 많은 시간이 투입되어야 할 것이며 때로는 목숨을 위협할 만큼 위험한 일이 우리 주변을 에워싸고 있다는 것을 어렵지 않게 상상해낼 수 있다.

사실 우리가 감각보다 이성으로 세상을 인지하기 시작하는 보다 큰 이유는 효율성과 안전성 때문이라기보다는 기쁨을 느끼는 역치가 높아졌기 때문이다. 역치란 생물이 외부 환경의 자극에 대해 어떤 반응을 일으키는데 필요한 최소한의 자극 세기를 뜻한다. 예를 들어 맥주 한잔으로도 기쁨을 느끼는 사람과 맥주 5병은 마셔야 기분이 좋아지는 사람을 두고 후자가 전자보다 맥주로 인해 기쁨을 느끼는 역치가 높다고 말한다. 나이를 먹을수록 거의 모든 분야의 경험치가 쌓여간다. 사람에 따라, 환경에 따라 차이는 있겠지만 일반적으로 살아온 시간에 비례하여 오감의 경험은 늘어간다. 기쁨과 만족에 대한 역치가 높아진 것이다. 삶의 환경이 크게 뒤바뀌지 않는 이상 그 맛이 그 맛이고, 본 것을 반복해서 바라보며 살아간다. 그렇기 때문에 인간은 보통 자신이 누릴 수 있는 역량 안에서 반복적인 감각을 추구하며 시간을 보내게 된다. 그런 이유로 삶이 일정한 궤도에 진입하고 얼마 지나지 않으면 인간은 감각의 추구에 소홀해지게 된다. 자신의 역량 안에서 충족할 수 있는 감각의 기대치를 이미 거의 채워보았기 때문이다. 게다가 나이를 먹은만큼 높아진 기쁨의 역치 수준을 충족시키기 위해서는 보다 많은 시간과 자원을 투입해야 한다.

한 끼에 만 원짜리 식사에 익숙한 사람은 한 끼에 백만 원을 호가하는 유명 셰프 오마카세를 즐기기 어렵고, 평생 해외여행을 한 번도 떠나본 적 없는 사람은 제주도행 비행기 티켓을 끊기도 어려운 법이다. 그런 의미에서 스스로 가끔 선물을 하는 행위는 나름의 의미가 있다. 특별한 날이 아니더라도 평소에 접해보지 못했던 음식, 공연, 문화, 사상 등 이질적인 경험을 자신에게 제공하는 행위는 오감의 범위를 확장하는 생산적인 활동이다. 기쁨을 위한 감각의 추구가 결국 자본에 종속될 수밖에 없다고 이야기하려는 것은 아니지만 일정 부분 그러한 구조 속에 있다는 것 또한 부정할 수는 없는 사실이다. 그렇다면 이제 어찌해야 할까. 분수를 알고 수준에 맞는 소비 내에서, 결국 가성비에 의존하여 안분지족의 삶을 살아가는 것만이 우리가 할 수 있는 최선의 행위라는 것일까.

목표 지점에 도달하는 방법은 세 가지가 있다. 첫째, 목표에 도달한다. 둘째, 목표를 수정한다. 셋째, 비슷하지만 다른 목표를 설정한다. 즐거움을 위해 감각을 추구해야 한다는 것이 목표라고 한다면 위에서 말한 방법론에 의해 목표 달성을 위한 세 가지 전략 수립이 가능하다. 첫째, 감각을 추구한다. 둘째, 감각 추구가 유일한 즐거움의 척도가 아니니 정신적인 만족으로 우회한다. 셋째, 감각 추구를 새롭게 정의한다.

첫 번째 방법은 앞서 이야기한 자본주의적 관점에 종속된다. 즉 추구할 수 있는 감각의 종류에 자본적 위계가 있고 그것은 반드시 한계점이 존재한다는 것이다. 고로 자본주의 사회에서 이 방식으로 오감을 충족할 수 있는 사람은 극히 드물다.

두 번째 방법은 자기기만이 될 수 있으며 반쪽짜리 만족에 불과하다. 인간은 육체와 정신적 충족감을 동시에 추구하는 존재다. 그런데 오감의 만족을 뒤로한 채 정신적 만족만으로 삶을 영위하려 한다면 그것은 마치 한쪽 다리로 마라톤을 뛰려 하는 것과 같다. 아주 드물게 가능한 사람도 있겠지만 대부분은 위태롭고 불안하며 외부의 작은 충격으로도 언제든지 쓰러지기 쉬운 상태로 버티고 서있는 결과가 그려진다.

결국 세 번째 방법으로 가는 수밖에 없다. 감각을 추구하기 위해 자신만의 주관적 세계를 구축해야 한다. 매일 보던 꽃을 보면서 새로움을 느낄 수 있는 사람, 매일 먹던 밥을 먹으면서 미세한 차이를 발견해낼 수 있는 사람, 매일 같은 일을 하면서도 의미와 기쁨을 부여해 낼 수 있는 사람. 우리는 그런 사람이 되어야 한다. 혹자는 이런 행위를 두고 정신 승리 혹은 자기 위안이라고 냉소적인 태도를 보일지도 모르겠다. 하지만 애초에 세계는 객관적이지 않다. 우리는 태어나서 죽을 때까지 주관의 세계에서 살다가 간다. 그것을 하루라도 빨리 알아챈 사람만이 인생을 기꺼이 즐길 수 있게 된다.

빵집 옆을 지나가다가 갓 구워져 나오는 빵 냄새를 잠시 음미해 보았거나 꽃집 옆을 지나다가 싱그러운 꽃향기에 발걸음을 멈춰본 사람들은 안다. 순간의 감각에 몰두하는 시간이 빚어내는 놀라운 기쁨의 영속성을. 그것은 단지 그 순간으로 끝나는 것이 아니다. 그 순간은 삶의 한 장면으로 남아 두고두고 기쁨을 선물하는 의미 있는 축적의 시간이 된다. 우리는 의도적으로 감각의 날을 세워야 한다. 그리고 일상에서 마주하는 작은 것들을 온몸으로 느끼며 살아야 한다. 어쩌면 그것이 잘 사는 방법이자 설렘을 유지할 수 있는 유일한 방법일 테니까.

어느 주말 한적한 카페에 홀로 앉아

아내가 아이를 데리고 친척 집에 갔다. 가끔 허락되는 이런 완벽한 공백의 시간이 생기면 주로 집에서 영화를 보거나 책을 읽거나 산책하거나 자전거를 탄다. 시간이 생기면 어떻게든 친구들과 만날 생각부터 했던 과거와 다르게 이제는 혼자서 무엇을 해야 가장 행복하게 시간을 보낼 수 있을지 고민하게 된다. 오늘따라 집에 있기 싫었다. 영화를 봐도 영화관에 가서 보고 싶었고 책을 읽더라도 어딘가 경치 좋은 곳에 가서 10월의 가을바람을 맞으며 초록이든 파랑이든 천연의 색감을 온몸으로 받아들이고 싶은 욕구에 허기가 졌다. 그렇게 예쁜 카페, 뷰 좋은 카페, 책 읽기 좋은 카페를 검색하다가 눈에 들어오는 곳을 발견했다. 도시의 외곽에 새로 지어 올린 카페인데 노란빛의 논이 카페의 통창을 통해 정면으로 보이는 아름다움을 품고 있었다.

책을 한 권 꺼내 들고 서둘러 그곳으로 향했다. 혹여나 내가 원하는 자리에 이미 사람이 앉아 있으면 어쩌나 싶은 마음에 운전하는 내내 악셀을 밟는 오른쪽 발에 평소보다 힘이 더 들어가는 것이 느껴졌다. 이른 시간이어서 그랬는지, 아직 입소문이 덜 났는지, 다행히 도착했을 때는 손님이 많지 않아 원하는 자리에 앉을 수 있었다. 자리에 앉아 잠시 감각의 세계에 빠져들어 본다. 제초기 돌아가는 소리, 닭 울음소리, 카페 안쪽에서 기분 좋게 접시가 달그락달그락하는 소리, 행여 남들에게 폐가 될세라 조심스레 흘러나오는 작은 웃음소리들, 어느 외국인 커플의 이해 못 할 대화 소리.

외국인 커플이 논을 바라보고 있는 모습은 이질적이지만 왠지 모르게 평화로워 보인다. 그들은 어디에서 시작해 여기까지 흘러왔을까. 서울이나 부산도 아닌 작은 도시, 그 도시 안에서도 외곽에 위치한 카페를 그들은 대체 어떻게 알고 찾아왔을까. 카페 사장과 사장의 언니인 듯한 사람이 내 옆 테이블에 앉아 대화를 나눈다. 너무 고요하고 한적한 탓에 옆에서 대화하는 내용을 의도치 않게 엿듣고 말았다. 몇 달 전에 차린 카페에 이제야 찾아오게 되어서 미안하다는 말, 풍경이 너무도 아름답다는 말, 평화로움이 묻어난다는 말, 이 카페가 여동생 내외가 그간 살아온 결과물인 것 같다는 말, 그녀의 말속에는 동생에 대한 애정과 자랑스러움이 느껴져 이야기를 듣는 동안 나도 모르게 함께 흐뭇해지기까지 한다. 나도 모르게 지어진 미소를 아무도 눈치채지 못하게 감추며 괜스레 멀찍이 시선을 던져본다. 먼 것도 같고 가까운 것도 같은 산 능선을 바라보며 왜 조상들이 그토록 산을 그려댔는지 이해가 될 것 같았다. 삼묵법이니 수묵담채니 이게 다 무슨 차이이고 무슨 의미가 있는지 임용고시 공부를 할 때는 미처 알지 못했다. 하지만 이런 경치를 눈앞에 두고 선선한 가을바람을 맞으며 구름의 움직임에 따라 산등성이의 걸쳐진 그림자가 달라지는 모습을 가만히 바라보고 있자니 하얀 종이에 까만 먹으로 그 미세한 차이에서 비롯되는 아름다움을 표현하기 위해 애썼을 조상들의 마음이 이제야 조금 느껴졌다.

자전거를 타고 논 옆길을 유유히 지나가는 노인의 모습에서 세월 앞에 초연해진 초월자의 모습을 본다. 우리는 무엇이 그리도 바쁘기에 달리는 것을 멈출 줄 모르고 살아가는 것일까. 자연 앞에선 시간의 흐름도, 세월의 두려움도, 욕망의 고통도, 잠시나마 힘을 잃는 것만 같다. 이따금 불어오는 바람에 산들산들 흔들리는 나뭇잎의 모습, 그 뒤로 보이는 노란 벼의 넘실거림, 그보다 더 뒤에는 무언가를 태웠는지 희미하게 피어오르는 연한 회색의 연기가 층층이 포개어져 감정을 고양한다. 이름 모를 작은 벌레들조차 싫지 않다. 오히려 이런 곳에서는 꼭 필요한 존재인 것만 같다. 신사임당이 왜 풀과 벌레를 소재로 삼아 초충도를 그렸는지 이제야 이해가 된다. 모든 것들이 평화와 행복을 이야기하고 있다. 단골손님이 가져다주었다는 고구마를 서비스로 내어주는 카페 사장님의 예상치 못한 선물은 평화에 평화를 더한다. 여유와 설렘을 동시에 형상화한 풍경을 그려보라고 한다면 이런 그림일까, 여유와 설렘이 포개져 잠시 무아지경에 도달한 듯한 느낌마저 든다.

혼자 맞는 아침 바닷바람

비가 온다. 빗물이 지붕을 지나 바닥을 향해 졸졸 흐르며 타다닥 떨어지는 소리가 마치, 불판 위에서 고기를 지글지글 굽는 소리처럼 들린다. 일상에서 벗어나 여행지에 잠시 몸을 맡긴 덕에 오감은 더욱 예민하게 외부의 것들을 받아들인다. 아니 받아들일 준비가 되어간다. 타인의 고함치는 소리도, 지지지 울어대는 풀벌레 소리도, 땀을 뻘뻘 흘리며 뛰노는 아이들의 웃음소리도, 건물 사이를 휘돌아 감으며 펄럭이는 바람 소리도, 영원히 반복될 것처럼 철썩대는 파도 소리도, 밤낮없이 짖어대는 개들의 울음소리도, 모두 일상과는 무관하다는 듯 제각기 소리를 내는 와중에 묘한 어우러짐이 느껴진다. 여행은 마법이다. 분명 시끄러운 소리가 여기저기서 들려오고 있음에도 불구하고 전혀 시끄럽게 느껴지질 않으니.

지난밤 더워서 땀을 뻘뻘 흘리며 이불속에서 이리저리 뒤척거리면서도, 콧물을 흘리는 아이가 걱정되어 에어컨을 시원하게 틀지 못한 채 잠을 청하다 보니 결국 밤새 잠을 이루지 못했다. 밤새 흘린 땀을 씻어내고 상쾌한 기분으로 돌아오기 위해 아침 일찍부터 아이에게 밥을 먹이는 아내의 수고로움에 빚진 채, 아침 바람을 맞으러 홀로 숙소 밖으로 나섰다.

다양한 색상과 모양을 뽐내며 펜션들이 오밀조밀 모여있는 관광지 한가운데에 홀로 조그마하게 지어진 주택을 한 채 발견했다. 이른 시간이었음에도 마당에는 벌써 가족들이 동그랗게 둘러앉아 아침 식사를 하는 풍경은 그야말로 목가적인 풍경의 전형이었다. 상추에 쌈을 싸서 우적우적 씹고 있는 저 남자는 저 집 장남일까? 대문을 마주하며 상석에 앉아있는 저 할머니가 집의 주인일까? 필요치 않은 호기심은 발걸음을 붙잡는다. 잠시 그곳에 시선을 빼앗긴 채 그들의 삶을 가만히 들여다 본다. 이럴 때면 시골살이나 목가적인 삶에 대한 동경심이 마음 한편에 자그맣게 똬리를 틀지만 그런 삶을 살아낼 용기도 자신도 없어 이내 고개를 휘젓고 만다.

우리가 묵었던 숙소는 펜션 거리 안에서도 가장 높은 곳에 있어 전망이 탁 트이고 바람이 세차게 불어왔다. 야트막한 경사를 통해 사부작사부작 걸어 내려가는 동안 어제는 보지 못했던 수많은 숙소가 한눈에 들어왔다. 지어진 지 오래된 듯, 세월의 흔적을 숨기지 못하고 겉으로 드러내 버려 아무도 찾을 것 같지 않아 보이는 숙소, 어울리지 않는 화장으로 얼굴을 덮은 스무 살 새내기처럼 어색한 부분 리모델링으로 부조화함을 내뿜고 있는 숙소, 새로 지었는지 주변의 것들과 조화롭진 않지만 홀로 반짝임과 웅장함을 뽐내고 있는 신축 숙소들이 마치 처음부터 각자의 자리가 있었던 듯 구획을 나누어 자리 잡고 있었다.

작은 동네를 한 바퀴 주욱 굴러보고 나니 어젯밤 온몸에 들러붙어 잠을 쫓아냈던 끈적이는 땀방울이 흔적도 없이 사라져 버렸다. 머릿속에 잡상들도 사라진 땀방울과 함께 증발해버리면 좋으련만, 잡상은 산책 할 때 더욱 증식한다. 오히려 생각에 살이 덕지덕지 붙기도 하고 새로운 생각이 꼬리에 꼬리를 물고 떠오르기도 한다. 혹 떼려다 혹 붙인 격이라는 말이 참말이다. 그래도 좋다. 이렇게 고즈넉한 기분이 되어 맞이하는 아침과 바다와 바람이 참 좋다.

바람과 음악과 노을

음악을 좋아한다. 음악을 좋아하지 않는 사람이 어디 있으랴. 하여 음악을 좋아한다는 말이 마치 지구는 둥글다는 말처럼 당연한 소리로 들릴까 싶어 굳이 글로 적는 것이 무의미하다는 생각이 자꾸만 들어서 이런 하나 마나 한 소리를 해서 무엇 하나 싶다가도, 이내 마음을 고쳐먹고 스스로가 좋아하는 것에 대해 살펴보는 것도 기나긴 인생에 한 번쯤은 둘러봐야할 지점은 아닌가 하여 좋아하는 음악에 관해 이야기를 해보려 한다.

남을 웃기려고 하면 웃기기가 어렵고 감동을 주려고 짜내면 짜낼수록 감동이 달아나는 것처럼, 세상은 의도 없이 무언가와 맞닿을 때 오히려 의도적일 때보다 더욱 그 의도에 가까이 다가간다. 즐겨 듣게 되는 음악도 그렇다. 아는 음악만 듣는 것이 지겨울 때가 있다. 얼마간의 새로움은 신선한 공기처럼 우리의 삶을 상쾌하게 씻어낸다. 그런 이유로 새로운 음악이 듣고 싶어서 어디 좋은 음악 없나 찾아서 들어보고, 지인 추천이나 인터넷 검색을 통해 좋다는 음악들을 연이어 들어봐도 내 귀를 끌어당기는 음악을 찾기는 쉽지 않다. 그러다가 문득 주변에서 흘러나오는 음악이 아무 생각 없던 나의 정신과 두 귀를 빼앗고 음악에 집중시킬 때가 있다. 서른일곱 해째 살아오며 이제는 안다. 바로 그 순간이 그 음악과 인연을 맺게 되는 순간이라는 사실을.

벌써 이주 가량 출퇴근 길에 한 곡 반복으로 설정해두고 계속해서 듣는 곡이 생겼다. 한 곡에 꽂히면 밤낮없이 이렇게 그 음악의 멜로디와 가사 그리고 창작자에 빠져 허우적대곤 한다. 오랜만에 또 반가운 경험을 하게 되었다. 며칠 전 "본 투 비 블루"를 보았다. 우울함으로 점철되어 결국 비극에서 헤어 나오지 못하고 자신의 삶을 비극의 방향으로 끌고 가버리고 마는 예술가의 삶을 다룬 영화. 쳇 베이커를 모르지만, 영화를 통해 예술가의 삶과 고뇌를 조금이나마 들여다볼 수 있었다. 우울함과 흥겨움은 공존할 수 있는 것일까. 공존의 가능성까지는 모르겠으나 우울함에서 비롯되는 아름다움만큼은 분명 존재한다고 믿는다. 이런 의미에서 Dance monkey라는 곡이 나의 마음을 훔쳐버렸다. Tones and i라는 가수의 삶은 모르지만, 그녀가 작곡한 하나의 곡으로 그녀의 세계를 짐작해본다. 펑키하면서도 힙하고 신나면서도 우울한 듯한 느낌이랄까? 내가 말해 놓고도 무슨 의미인지 모르겠지만 음악적 지식이 미천하여 무어라 표현할 수 없음이 답답할 뿐이다.

우리는 자신과 비슷하거나 혹은 자신이 추구하는 방향을 제시하거나, 혹은 자신과 다른 무언가에 끌린다. 말해놓고 보니 그렇다면 거의 모든 것에 끌린다는 말처럼 들려 우습기도 하다. 게다가 완전히 역치되는 문장, 즉 자신과 비슷해서 끌리지 않고 자신과 달라서 끌리지 않는다는 식으로 말을 바꿔도 기가 막히게 성립된다는 것 또한 희안한 일이다. 이 곡의 어떤 점이 나를 끌어당겼을까. 비슷했을까? 비슷해지고 싶었을까? 전혀 달랐기 때문일까? 내가 나를 모르니 스스로 던진 질문에도 답을 못할때가 많다.

영화나 음악, 그리고 책과 사랑에 빠질 때가 있다. 긴긴 인생을 살아가며 새로이 사귄 이 친구와 앞으로 가끔 만날 것을 생각하면 신이 난 어린아이처럼 기뻐서 손뼉이라도 치고 싶어질 지경이다. 한 번 좋아져서 나의 마음속 서랍 깊숙한 곳에 꽂아둔 음악은 일주일이고 한 달이고 주야장천 듣게 된다. 그러다 보면 어느 순간 자연스레 질리는 시기도 오게 되지만, 그때는 이미 나의 삶의 일부가 되어 살아가다 가끔 찾게 될 것임을 알고 있다. 좋아하는 음악과 함께하는 드라이브는 차를 소유하게 된 이후 사랑하게 된 삶의 한 조각이다. 음악은 삶의 순간들을 영화로 만들어준다는 영화 원스의 대사처럼 좋아하는 음악에 취해 혼자만의 세계에 흠뻑 빠지는 그 순간만큼은 눈을 뜬 채로 잠시 꿈을 꾸는 듯한 착각이 들기까지 한다. 꿈속에서 나는 무엇이든 될 수 있다. 마이클 잭슨이 되기도, 나훈아가 되기도, 방탄소년단이 되기도 한다.

차 안에서 음악을 함께 듣기에 가장 좋은 벗은 다름 아닌 바람이다. 때로는 잔잔하고 포근하게 나의 두 팔과 두 볼을 감싸주기도 하고, 흥에 겨운 나머지 남들이 들을까 부끄러울 정도의 고성방가를 외칠 때면 세찬 바람 소리로 부끄러운 소음을 가려주기도 한다. 창문을 지나 스치듯이 넘어오는 시원한 바람은 내가 원할 때면 언제든 옆에 와서 함께 머물다가도 내가 원하지 않을 때면 언제 곁에 있었냐는 듯 조용히 고요에 자리를 내어준다.

혼자 감상에 젖어 운전하다 보면 때때로 황홀한 순간들과 마주한다. 일렁이는 초록의 논밭과 코를 파고드는 흙내음, 노을이 반사되어 물비늘이 반짝이는 하천을 그중 으뜸으로 꼽는다. 우연히 다리 위를 지나다가 이 모든 것과 동시에 조우하게 되는 순간이면 흡사 그 다리가 세상을 넘어가는 경계에 위치한 차원의 문인 것처럼 느껴지기도 하고, 그 순간 나 자신이 세계를 넘어가는 이방인이 된 것처럼 느껴지기도 한다. 한때 배우 장근석이 싸이월드에 음악은 국가가 허락한 유일한 마약이라는 글을 올려 놀림을 받기도 했지만, 그가 왜 그런 말을 했는지 이해가 되기도 한다. 그것은 음악에 대한 순수한 예찬이었을 것이다. 사람이 무언가에 흠뻑 빠져서 온 마음을 내어주는 행위는 결코 비난이나 놀림의 대상이 될 수 없다. 나를 눈물 나게 행복하게 만드는 것. 누구나 그런 존재를 한 두 가지쯤 마음에 품고 살아가기 때문이다.

즐거움과 두려움이 함께 해야 모험이다

어린 시절엔 참 설레는 일이 많았다. 친구들과 놀이터에서 뛰어노는 시간, 만화영화 방송 시간에 맞춰 TV 앞으로 쪼르르 달려갔던 기억, 방학하는 날 선생님께 인사를 하고 교실을 뛰쳐나가면서 느꼈던 설레는 기분, 이런 기대감과 설렘의 감정적 근원은 즐거움이다. 하지만 이런 상황을 모험이라고 하기엔, 그리고 이런 마음을 모험심이라고 하기엔 무언가 부족하다는 생각이 든다.

어린이 만화나 동화에 빠지지 않고 등장하는 테마는 "모험"이다. 모험심이 강한 주인공이 모험의 여정을 통해 성장하는 이야기. 아이들의 성장에 있어 모험은 가장 효과적이고 필수적인 장치임이 틀림없다. 수많은 역경과 고난을 겪고 그것을 극복해 나가는 과정에서 깨닫는 수많은 감정과 지식, 그리고 우정과 사랑. 삶을 살아가며 느낄 수 있는, 혹은 느껴야만 하는 것들이 모두 집약된 것이 모험이기 때문이다.

그렇다면 모험이란 무엇일까. 마냥 기쁘고 즐겁기만 한 것을 모험이라 할 수 있을까? 그저 설렘의 감정만 충만하게 차오른다면 우리는 그것을 모험심이 발동했다고 이야기할 수 있는 것일까? 모험이라고 하면 가장 쉽게 여행을 떠올린다. 그렇다면 여행은 왜 모험이 되는가. 여행을 떠날 때의 우리 감정, 그리고 여행지에서 우리가 마주할 수 있는 단어들을 떠올려보자. 여행은 낯설고 비일상적이며 예측 불가능한 변수가 도사리고 있다. 낯설기에 불편하고 예측 불가능하기에 두렵다. 일상에서 벗어난 장소이기 때문에 모든 것이 신선하지만 그와 동시에 경계심이 발동한다. 하지만 이런 걱정거리들이 있음에도 불구하고 우리가 여행을 감행하는 이유는 걱정거리보다 조금은 더 큰 즐거움이 기대되기 때문이다. 새로운 것을 경험하는 데에서 오는 즐거움과 기쁨, 생각지도 못했던 낯선 환경이 나에게 주는 새로운 영감과 이질적인 감정들, 여행을 오지 않았다면 평생을 모르고 살았을 새로운 세상에 대한 경탄과 경외감. 이런 즐거움을 떠올릴 때 걱정거리는 여전히 그곳에 존재할 테지만 우리는 두려움보다 즐거움 쪽에 조금 더 시선을 둔다.

모험은 즐거움과 두려움이 적당히 섞여 있는 것이다. 즐겁기만 하거나 두렵기만 한 것은 모험이 아니다. 즐겁기만 하다면 묘한 흥분감과 설렘은 나타나지 않는다. 반대로 두려움만 있다면 그것은 공포에 가까울 것이다. 즐겁지만 한편으로는 두렵기도 한 것, 이질적인 두 가지 감정이 서로 섞여 들어가며 만들어내는 설레는 기쁨, 그것이 모험이다. 나를 좋아하고 있다는 사실을 이미 알고 있는 사람에게 고백하는 일은 모험이 아니다. 그것은 즐거움은 있지만 두려움은 제로에 가깝기 때문이다. 하지만 나를 좋아하는지 어떤지 감을 잡을 수 없는 상대에게 고백하는 일은 모험이다. 거절의 두려움이 있지만 두근거리는 설렘이 공존하기 때문이다.

그렇다면 즐거움과 두려움의 비율이 어느 정도 섞여 있어야 모험이라고 할 수 있을까. 그 비율은 9:1일 수도 1:9 일수도 있을 테지만 즐거움의 비율이 두려움의 비율보다 조금은 더 높은 편이 좋아 보인다. 그래야만 모험을 통해 얻게 되는 긍정적 효과들이 그다음 모험을 또다시 추진하도록 할 테니 말이다. 한석규는 넘버 3에서 자신을 얼마큼 사랑하느냐 애인의 질문에 51%만큼 믿는다고 말한다. 여자 친구는 왜 100%가 아니고 51%냐며 뾰로통해하지만 그런 여자 친구에게 한석규는 51%를 믿는다는 건 100%를 믿는 것이라 답한다. 51%를 믿는다는 것이 어떻게 100%를 믿는다는 말이 될 수 있을까. 단순히 수치상으로만 보았을 때 이는 성립하지 않는 등식이다. 하지만 모험의 측면에서 생각해보니, 이는 정확히 들어맞는 말이다.

모험에는 결코 100%의 즐거움이 존재하지 않는다. 51%의 즐거움과 49%의 두려움이 존재하는 것이 모험의 본성이라고 한다면, 그리고 그 모험을 성공적으로 완수해 낸다면 그것은 100% 완벽한 모험이 되고 즐거움이 된다. 51% 사랑한다는 한석규의 말은 잠재적 불안이 존재하지만 너를 끌어안겠다는 의미로 읽힌다. 모험 역시 그러하다. 잠재적인 불안과 두려움이 존재하지만 기쁨과 설렘이 조금이라도 더 커 보인다면 기꺼이 그 불안감을 감수할 수 있는 용기를 내는 것. 그리고 그 51%의 믿음은 결국 모험 속으로 우리를 밀어 넣고야 만다. 그것은 결국 행동을 촉발한다. 어떤 일이 발생하는 것을 100%, 발생하지 않는 것을 0%라고 정의한다면 51%의 믿음은 결국 100%의 행함을 이끌게 된다. 그렇기 때문에 51%를 믿는다는 말은 결국 100% 믿는다는 말과 같은 말이 된다.

모험은 언제까지 모험일 수 있을까. 두려움이나 기쁨 어느 한쪽이 완벽히 사라지게 되는 순간 모험은 더 이상 모험이 아닌 것이 되고 만다. 우리는 어떤 모험을 하고 있는가. 어떤 모험을 해야 하는가. 1%라도 설레는 일이 있다면 발을 담가보는 것은 어떨까. 자주 보면 정든다는 말처럼 1%의 설렘이 51%가 되는 순간이 어느 날 갑자기 우리에게 찾아올지도 모른다. 함께 모여 글을 쓰고, 책을 내기 위해 수줍지만 용기가 있는 발걸음을 내딛고 있는 우리들은 이미 일종의 모험을 감행하고 있는 셈이다.

네가 왜 거기서 나와

돌아가신 부모님이 꿈에 나타나 여섯 자리의 숫자를 불러 준다면 당신은 무엇을 할 것인가. 소중한 숫자이니 현관 비밀 번호로 설정하여 두고두고 기억하기보다는 출근길에 당장 로 또를 사는 선택을 하는 것이 더 익숙한 전개처럼 보인다. 꿈에 누군가 나온다는 것은 대부분 반가운 일이다. 잘 알고 지냈던 사람이건 인연이 깊지 않았던 사람이건 상관없다. 촘촘하지 못 한 무의식의 그물 속에서 숭덩숭덩 쏟아져 흘러내리지 않고 기 억의 저편 어딘가에 기어코 붙어있다가 내 꿈속에 나타난 그 사람을 반갑게 맞이하지 않을 이유가 없다.

꿈은 무의식의 발현이라는 말에 의하면 나와 아무런 관련 성이 없거나 나의 삶에 큰 영향력을 미치지 않는 타인이 꿈에 나타났다는 것은, 나도 모르는 사이 나의 무의식 깊숙한 곳에 그 사람이 흡착되었다는 뜻일 텐데 아무리 생각해봐도 도무지 그와 나의 연결고리를 발견할 수 없을 때는 다소 당혹스러운 마음이 드는 것 또한 사실이다. 당혹스럽긴 하지만 꿈에 나타나는 사람을 자신도 모르는 사이에 좋아하게 된다는 어느 심리 효과처럼 일단 누군가가 꿈에 등장하게 되면 특별히 싫어했던 사람이 아닌 이상 그 사람에 대해 한 번쯤은 생각하는 시간을 갖게 된다.

영화 '윤희에게'에서 "나는 아직도 네 꿈을 꿔"라는 대사가 나온다. 영화에서는 나의 마음속에 네가 아직 존재한다는 의미로 꿈을 활용하고 있지만, 현실에서는 나의 무의식 어딘가에 그 사람의 방이 존재하고 있어 꿈에 나타나는 것인지, 꿈에 나타났기 때문에 나의 의식 한 공간을 내어줄 준비를 하는 것인지 모를 정도로 우선순위가 헷갈릴 때가 많다. 세상엔 참 알 수 없는 일이 많다. 오래도록 연락을 주고받지 않아 소원해진 지인들의 꿈을 가끔 꾸는 이유가 무엇인지는 정확히 알 수 없으나 일단은 반갑고 설렌다. 반갑고 기쁜 마음을 가슴에 품고 꿈에서 깨어 어젯밤 나의 꿈에 다녀간 옛 친구에게 오랜만에 안부 전화를 걸 때가 있다. 이미 결혼도 한 놈이 갑작스럽게 전화를 걸 일이 없을 텐데... 라는 생각 때문일까, 오랜만에 걸려 온 전화에 약간의 경계심이 섞인 당황한 눈치이지만 아무 이유 없이 네가 꿈에 나와 전화를 걸어봤다는 말에 이내 그 사람 역시 마음을 열고 우리는 과거의 어딘가로 잠시 시곗바늘을 되돌린다.

　꿈에 누군가가 나타나는 이유는 빛바랜 관계에 기름칠해보라는 게시일까? 예지몽, 길몽, 흉몽, 꿈을 두고 이래저래 공식과 의미를 붙여 해석하길 좋아하는 우리의 삶이지만 정해진 답이 없는 것 또한 우리의 삶이다. 세상만사 알 수 없는 일투성이라 오늘도 혼자만의 답을 찾아 이래저래 생각하고 의미 없는 의미를 던져본다. 이러쿵저러쿵해도 어찌 되었건 꿈에 누군가가 나타난다는 일은 대체로 설레는 일이다.

합이 맞는 순간, 우리는 짜릿했다

대학 시절 댄스 동아리 활동을 했다. 특별한 경우가 아니라면 보통 1년에 총 4번의 공연을 했다. 2월 말 즈음 겨울의 추위와 대학이라는 새로운 공간의 낯섦 탓에 아직 긴장이 풀리지 않은 신입생들을 앉혀 놓고 우리 동아리에 들어오세요~하며 동아리를 홍보하는 첫 번째 공연, 5월엔 푸르른 여름을 앞두고 폭발하는 청춘의 열정을 닮은 대학 축제 공연을, 9월엔 공연 동아리들과 전시 동아리들이 주축이 되는 문화제 형식의 공연을, 11월엔 한 해를 마무리하고 오직 우리 동아리만을 위한 콘서트 형식의 정기 공연을.

공연마다 보통 한 달의 준비기간이 필요했다. 방학 중에 준비해야 하는 공연이 2번 있었고 나머지 두 번은 한참 놀고 싶고 날씨 좋은 계절에 준비해야 했다. 이런 상황이었던 탓에 웬

만한 열정과 자기희생 없이 오롯이 4번의 공연을 다 치러내는 일은 쉬운 일이 아니었다. 한 번의 공연을 끝으로 힘들어서 탈퇴하는 회원이 많았으며 각 기수의 1학년 때 신입 회원의 숫자와 4학년 때 남아있는 회원의 숫자는 보통 절반 이하, 심할 때는 1/10까지 줄어있는 경우도 있었다. 1년 네 번의 공연을 다 치러냈다는 것에 대해 서로 내색은 하지 않았지만, 암묵적으로 저 녀석은 참 대단하다, 혹은 독하다고 생각했던 것 같다. 그것은 때때로 존경이나 동경, 혹은 인정의 형태로 당사자들에게 자부심을 주었다.

이런 악조건 속에서도 1년 네 번의 공연을 완수했을 뿐 아니라 임용고시 수험생이 되는 4학년을 제외한, 3년 열두 번의 공연을 완수해내는 사람들도 물론 있었다. 아주 간혹가다 4학년 때도 공연에 참여해서 미친놈 소리를 듣는 사람도 매년 한 명씩은 있었다. 말 그대로 춤에 미쳐있는 사람들이었다. 얼마간의 기본적인 시간 투입이 꼭 필요하고 단체로 시간을 맞춰서 연습을 해야 해서 분명 개인적으로 포기했던 것들이 있었다.

연인과 데이트를 못 해서 차였다고 울먹이는 친구도 있었고, 잘하고 있던 과외 시간을 맞추기 어려워 금전적인 손해를 봐야 했던 친구도 있었다. 10명에 가까운 팀원의 전체 연습을 맞춰보기 위해 가족들과 약속을 포기하고 달려왔던 친구도 있었다. 개인적인 약속을 아마도 많이 포기했으리라 생각한다. 가끔 학교 앞에서 몰래 술을 먹다 걸려서 취한 상태로 연습실에 끌려와 연습하는 시트콤 같은 상황이 연출되기도 했다. 고되었지만 공통으로 좋아했던 것을 바라보며 땀 흘리는 시간을 함께 보낸 기억을 나눠 가진 개인들에게는 "우리"라는 선물이 주어진다. 그렇게 너와 나는 우리가 되었다.

물론 그 시절을 떠올리면 행복하고 아름다운 추억들만 존재하는 것은 아니다. 동아리에 몸담고 있던 기간 동안 다양한 인간관계의 변주를 경험하기도 했다. 주야장천 혼자서만 연습하는 친구. 주인공 역할만 고집하는 친구, 연습에 불성실한 친구, 모두 합을 맞춰야 할 때 빠져서 완성도를 떨어뜨리는 친구, 공연을 며칠 안 남겨두고 탈퇴하는 무책임한 친구, 동아리원들과 교류는 하지 않고 오직 무대에 서는 것만이 목표인 친구. 매번 공연마다 이런 경험이 쌓이다 보니 팀을 나눌 때 자연스럽게 앞에서 말한 미친놈들과 한 팀이 되고 싶었다. 하지만 미친놈들끼리 한 팀을 구성하는 것은 힘든 일이다. 그랬다간 무대에 올릴 수 있는 공연이 두 세곡밖에 나오지 않기 때문이다. 이렇게 다양한 불협화음을 겪는 와중에도 완벽히 하나가 되는 순간이 존재한다. 그 순간을 말하기에 앞서 연습 과정을 이야기하지 않을 수 없다. 연습의 과정을 살펴보면 대충 다음과 같다.

- 팀을 나누고 파트를 나눈다. 이 과정이 생각보다 오래 걸린다. 권모술수가 난무하기도 한다.
- 각자 맡은 배역의 안무를 알아서 익혀온다.

- 이어폰을 꽂고 혼자서 음악에 맞춰 동작을 할 수 있을 때까지 반복한다.
- 팀원이 모여 음악을 틀고 서로의 동작을 교정하고 각과 대형을 맞춘다.
- 공연 일주일 전 4학년 선배들 앞에서 중간 점검을 받고 잘한 점은 칭찬해주고 수정할 점을 지적해준다.
- 공연 직전까지 안 되는 부분을 무한 반복 연습한다.

돌이켜보면 동아리 활동을 하며 가장 짜릿하고 강렬했던 순간은 공연 당일 무대 위가 아니었다. 수많은 시간 동안 혼자서, 그리고 함께 연습하다가 최종적으로 합을 맞추던 그 시간. 무언가 만족스럽지 않은 미세한 부분을 수정하고 수정하다가 마주하게 되는 그 장면, 모두가 완벽하게 자신의 역할을 오차 없이 완수해냈고 그 사실을 마주 보이는 거울을 통해 서로가 확인해냈던 그 순간. 한 치의 오차와 조금의 실수도 보이지 않고 모두가 함께 완벽했다고 느낀 바로 그 기적 같은 순간. 모든 과정이 끝나고 마지막 단계에 가서 정확하게 합이 맞아떨어지며 음악이 끝나고 나면 우리는 서로 마주 보며 웃었다. 서로 만족감을 읽어주고 우리가 모두 완벽했다는 기쁨을 동시에 느끼게 될 때의 그 전율. 바로 그 순간이 가장 강렬하게 짜릿했던 순간이었다. 아주 짧은 찰나의 순간이지만 그 시절에는 그 순간의 짜릿함을 바라보고 살았는지도 모른다. 이렇게도 황홀한 순간에 나도 모르게 입꼬리가 올라가는 것을 무슨 수로 막을 수 있으랴. 그런 날이면 맥주를 한잔하러 가지 않고는 도저히 못 배기게 되고야 만다.

책을 주고받는 일

　누군가로부터 책을 선물 받는다는 것은 말썽을 부린 아이가 순순히 자기 잘못을 인정하는 것처럼, 아주 드물고 희귀하게 발생하는 현상인 만큼 감사한 마음과 함께 오래도록 기억에 남는 일 가운데 하나로 손꼽힌다. 어떤 이는 결국 냄비 받침으로나 사용하게 될 종이 뭉치를 왜 선물하는지 모르겠다고 고개를 갸우뚱하며 선물 받은 책을 곧장 발견하기 힘든 어딘가에 방치해둘지도 모른다. 그리고 그것은 결국 냄비 받침이나 혹은 그와 비슷한 용도로 그 쓰임을 다할 것이 자명하다.

　책을 선물하는 사람의 입장에서 선물한 책이 그렇게 다루어지는 것을 바라진 않았을 것이다. 책을 선물하기 좋아하는 사람은 본인이 읽었던 책을 선물하는 경우가 많다. 이 경우에 그저 그런 책을 선물하는 경우는 없다. 분명히 어느 지점에서 자신의 마음을 사로잡은 부분이 있었을 것이고 그것을 나누고 싶은 마음에 책을 선물하기 때문이다. 우리는 책을 읽으며 때때로 사람에게 그러하듯 책에도 반하곤 한다.

그 이유는 완전히 새로운 관점으로 세상을 새롭게 바라보게 되는 시각을 얻게 되었기 때문일 수도 있고, 나의 언어로는 결코 표현할 수 없는 유려한 문장에 반하여 두고두고 읽으며 나의 언어로 소화해내고 싶기 때문일 수도 있으며, 작가가 자기 생각을 표현해내는 과정이 너무도 논리적이고 매끄러워 지식을 구조화하는 알고리즘을 본받고 싶기 때문일 수도 있는 등 독자에 따라 다양하면서도 분명한 이유가 반드시 존재하기 때문이다.

그 이유가 무엇이 되었건, 한 개인이 자신이 얻은 것들을 타인과 나누고 싶어 한다는 것은 곧, 삶의 일정 부분을 공유하고 연결하고 싶다는 의미로 해석해봐도 좋지 않을까? 적어도 나는 그런 의미로 책을 선물하기에 책을 선물 받았을 때도 동일한 의미로 해석하곤 한다. 그래서 책을 선물한다는 것은, 당신도 나와 같이 이 좋은 것을 함께 누렸으면 좋겠다는 선한 마음을 책과 함께 건네는 행위와도 같다.

하지만 이런 선한 의도가 책을 선물 받는 사람에게 매번 오롯이 전달되는 것은 아니다. 받는 사람이 책을 건넨 사람의 마음을 읽어낼 줄 알아야 이 희극은 비로소 완성될 수 있다. 비록 내가 책을 좋아하지 않아 켜켜이 먼지가 쌓여 집안 어디엔가

짐처럼 취급될 것이 뻔히 예상된다고 하더라도 선물해 준 사람의 마음을 생각한다면 한 번쯤은 그가 왜 나에게 이 책을 선물해주었는지 헤아리려 노력해 볼 필요가 있다.

책을 선물하는 사람은 책을 좋아할 확률이 높다. 선물한 사람은 공감과 공유의 기쁨을 상상하며, 선물 받는 사람이 책을 좋아한다고 판단했기에 책을 선물했겠지만, 사실은 선물 받은 사람이 책을 좋아하지 않을 수도 있다. 우리는 누군가에 대해 잘 알고 있다고 생각하지만, 실상은 전혀 다른 사람을 나 혼자 그려대고 있는 경우가 많기 때문이다.

다행스럽게도 선물하는 사람과 선물 받는 사람이 모두 진심으로 책을 좋아하는 사람이었을 때, 거기에서 한발 더 나아가 주고받은 책에 대해 서로가 의미 있는 생각과 느낌을 갖게 될 때, 그들 사이에는 진정성이 녹아든 영혼의 교류 비슷한 것이 발생한다고 믿어 의심치 않는다. 책을 선물한다는 것은 그래서 의미 있는 행위임이 분명하다.

작가소개

강희 작가 / 인스타 @rose.knife333

읽고 쓰고픈 엄마 사람

"이제 내놓았으니 '알아서 잘 살기'를 바라고, 엄마는 '나 잘살기'에 몰두하고자 한다." 〈2023년 겨울, 우리 집 고딩 소멸〉 중에서

김주연 작가 / 인스타 @healthjy123

매일 읽고 쓰기로 삶을 사유하고 50대를 꿈꾸던 일로 장식할 수 있게 준비하는 사람

"삶이 답답하고 무미건조할 때는 좋아하고 원하는 배움을 통해 엉킨 실타래 풀듯이 풀어간다." 〈환기-정서적 자양분을 찾아서〉 중에서

* 개인저서 : 『내 멋대로 유럽생활』

김효진 작가 / 인스타 @hyojin_kim812

꿈꾸는 사람

"길을 만들어, 나의 일에 완성도를 높여갈 때 여전히 가슴이 뛴다." 〈꿈꾸며 세우며〉 중에서

변은혜 작가 / 인스타 @book.maum

책을 읽고 쓰고 만드는 사람

"휴우~!! 호흡 하나에 숨 한번" 〈나만의 숨을 내쉬어 봅니다〉 중에서

* 개인저서 : 『하루 한 페이지, 나를 사랑하게 되는 독서의 힘』, 『북클럽 사용설명서』

손지오 작가 / 인스타 @happy.zio

성장하고 행복하며 따뜻한 세상을 꿈꾸는 사람

"'나'라는 차를 정비하고 세차하며 연료를 넣는다. 가고 싶은 목적지를 정하고 가벼운 출발을 기약한다." 〈크리스마스 선물〉 중에서

윤지수 작가 / 인스타 @spicahyun

같이 성장을 꿈꾸는 해가 나듯 따뜻한 사람

"나는 내 일을 좋아하고 이 일은 내 꿈의 터전이자 내 꿈의 씨앗이다. 나는 자유로운 삶을 살 것이다." 〈나의 원씽〉 중에서

임나래 작가 / 인스타@imnalae_wirter

세상을 바꾸려면 나 자신부터 바뀌어야 한다는 생각을 가지며 세상을 살아가고 있는 사람

"용기란 두려움이 없는 게 아니라 두려움을 극복하는 것이다."
- 넬슨 만델라

임정호 작가 / 인스타 @left_hand.co.kr

배우고 쓰며 살고 싶은 사람

"애초에 세계는 객관적이지 않다. 우리는 태어나서 죽을 때까지 주관의 세계에서 살다가 간다. 그것을 하루라도 빨리 알아챈 사람만이 인생을 기꺼이 즐길 수 있게 된다." 〈감각 자극하기〉 중에서

현인성 작가 / 인스타 @artchoonja

육십 이후 시 쓰고 그림과 서예로 매일의 성장을 꿈꾸는 시인

"자기 날개로 날아야 아름답습니다. 참새가 날 수 있는 건 날개가 있기 때문입니다." 〈자기 날개로 날아야 아름답습니다〉 중에서
* 개인저서 : 시화집 『마음이 다닌 길』 시화